# LA BUSQUEDA

El éxito está oculto en la travesía

Dexter Yager y John Mason

# LA BUSQUEDA

## El éxito está oculto en la travesía

### Dexter Yager y John Mason

Publicado por

*InterNET Services Corporation*

Impreso en Colombia

# LA BUSQUEDA

El éxito está oculto en la travesía

# Tabla de Contenido

# INTRODUCCIÓN

¿Acaso se está dirigiendo tambaleante hacia un futuro incierto? ¿O acaso está listo para perseguir su sueño con todo su corazón? Hay ideas de un millón de dólares a su alrededor todos los días.. ¿Las ve? Puede ver miles de milagros todos los días, o puede que no vea nada. Su oportunidad más grande esta ahí en el mismo sitio en donde se encuentra en este momento. Tal como lo dijo Earl Nightingale, " Usted está, en este momento, parado en la mitad de sus propios acres de diamantes"

Existe una llave maestra que abre las puertas de las posibilidades en la vida. Los sueños son buenos, pero no lo suficientemente buenos. Sólo hay una manera de probar su fe, sueños y metas... sólo una forma de convertirlos en realidad. La búsqueda.

Lo más importante que puede hacer en la vida es encontrar un sueño que valga la pena perseguir, y cuando lo logre, encuentre uno aun más grande. La búsqueda cambia todo. Cautiva su corazón, aumenta su impulso, lo lleva a enfocarse y trae resultados asombrosos.

Encontrará esa felicidad al perseguir sus sueños, no al alcanzarlos. Un estudio muy serio efectuado a sesenta y dos líderes alrededor del mundo, desde la corporación Marriott hasta Apple Computers, reveló que ninguno de los líderes era un clásico adicto al trabajo, tal como nos los imaginamos: Implacables, agresivos, esclavos del trabajo, pero dispuestos a hacerlo de cualquier manera. En cambio, eran más bien

7

amantes de su trabajo. Realmente amaban lo que hacían. La búsqueda correcta les trajo júbilo y éxito.

El Doctor Charles Garfield agregó al informe: "Las personas de más alto desempeño son aquellas que están comprometidas con una seria misión. Está muy claro que se preocupan profundamente por lo que hacen, y sus esfuerzos, energías y entusiasmos están todos encaminados a lograr esa misión particular." Proverbios 19:21 dice: "Muchos pensamientos hay en el corazón del hombre; más el consejo de Dios permanecerá" No estará del todo libre hasta que inicie la búsqueda y sea cautivado por su misión suprema en la vida.

Infortunadamente, la vida de la persona promedio consiste en tener durante veinte años a un par de padres preguntándole a dónde se dirige. Cuarenta años con una esposa o esposo haciendo la misma pregunta, y al final, todos aquellos de luto pensando lo mismo en la sala de velación. Martín Luther King Jr. dijo, "Si un hombre no ha descubierto algo por qué morir, es que no merece vivir"

El éxito siempre comienza con un sueño que parece imposible, pero cuando se busca y se trabaja, con el tiempo, gradualmente se hace realidad. Nada que valga la pena se logra de la noche a la mañana. El camino hacia el éxito siempre es cuesta arriba; de manera que no espere romper ninguna marca de velocidad. El éxito lleva tiempo. Una vez que empiece a buscar su sueño, debe mantener el impulso. No puede darse el lujo de detenerse durante el camino. Lo más duro de hacer mientras busca lograr su sueño es ponerse en movimiento después de haberse detenido. Usted querrá hacer esto solamente una vez, la primera.

El mundo le hace espacio a alguien que busca y persigue su sueño. Al igual que sucede con el camión de bomberos que se abre paso con sus luces y sirenas encendidas, o el auto de la policía. Puede que la gente no sepa hacia donde se dirige usted, pero al menos sabrá que va hacia algo importante. Siempre habrá tiempo y oportunidad para la tenacidad. No se deje atrapar en el jardín interior de su casa buscando tréboles de cuatro hojas, cuando la oportunidad esta golpeando en la puerta de enfrente.

Cada mañana en África se despierta una gacela. Sabe

que debe esquivar al león más veloz o será devorada. Cada mañana se despierta un león en África. Sabe que debe atrapar a la gacela más lenta o se morirá de hambre. No importa si usted es un león o una gacela; cuando llegue el amanecer, es mejor que ya esté corriendo.

En su corazón habita un león dormido, rugiendo desde adentro. Deseando iniciar una búsqueda de valor que satisfaga a Dios. Escoja estar en una misión. "Cuando escoja su misión, sentirá cómo lo exige. Lo llenará de entusiasmo y de un deseo ardiente de trabajar en ello" (W. Clement Stone). Las vidas exitosas están siempre motivadas por búsquedas dinámicas.

Un hombre perezoso es juzgado por no buscar algo. Albert Hubert señaló, "Aquellos que quieran leche no deben sentarse en la mitad del campo a esperar a que la vaca se les acerque para ser ordeñada" La alternativa de detenerse o buscar, es un momento decisivo de su vida.

Cuando una persona toma la decisión de iniciar la búsqueda, los hechos no cuentan. El pasado no cuenta. Las dificultades no cuentan.

Yo no sé usted, pero a mí, siempre me han perseguido los "dientes de león". En todos los sitios donde he vivido, cada casa que he tenido, siempre me han seguido. Pero aprendí algo muy importante de esta pequeña y molesta planta. Nuestra oración diaria debería ser, "Señor, dame la persistencia y la tenacidad de la maleza"

Busque Diamantes, no persiga mariposas. La vida es muy corta para pensar en pequeño. Busque y sálgase del mapa. Vaya donde jamás haya estado.

Nada trae más jubilo al corazón de un líder, padre o esposo, que ver a una hombre o a una mujer buscando y persiguiendo su propósito en la vida. ¡Ahora es el momento de salir de las graderías, dejar de ser espectador y entrar en el campo de juego!

Bienvenido a la búsqueda.

## Capítulo 1

# Libertad –
# No hay nada parecido en el mundo

No era el número uno de mi clase, y no fui a la universidad. ¿Sabe por qué? Porque sabía hacia dónde me dirigía antes de ir a la universidad. Entonces no fui. Sabía lo que quería ser. Quería tener mi propio negocio. Y la mayoría de los que enseñan en las facultades de negocios, no tienen su propio negocio. Ya había aprendido mis lecciones trabajando para hombres de negocios cuando era niño. Si todo lo que es depende del pedazo de papel que le entregan, entonces usted no es nada.

John Foster dijo, "Es algo muy desagradable no poder contestar a una pregunta simple con cierto grado de seguridad" ¿En qué se convertirá? ¿Qué hará? El Doctor Charles Garfield agregó, "Los de mejor desempeño son personas que están comprometidas a llevar a cabo una misión. Es claro que se preocupan profundamente por lo que hacen y su esfuerzo, energía y entusiasmo, están todos encaminados a lograr esa misión particular". No estará del todo libre hasta que no sea cautivado por su misión en la vida.

Enseñarle a la gente a conseguir buenos trabajos no es la respuesta. ¿Por qué habrían de invertir sus padres tanto dinero en educarlo para que salga allá afuera a conseguir un empleo, si puede tener su propio negocio? Podría iniciar muchos negocios con menos dinero del que cobran las más prestigiosa universidades a un solo alumno por asistir un año.

Un empleo... Tuve uno una vez. ¿Es esto lo que significa tener un empleo? Me levanto por la mañana, voy a trabajar, salgo a almorzar, voy a trabajar, regreso a casa, para arriba y para abajo, para arriba y para abajo. Me dan dos semanas de vacaciones, voy a visitar a parientes y amigos. ¿Es esa una vida? Se vuelve una rutina. ¿Cuál es la diferencia entre una rutina y una tumba? La rutina es una tumba que no tiene ni entrada ni salida. Si no tiene un sueño, ya está dentro de una tumba. Por lo menos tengo un "buen" empleo. El único buen empleo que puede tener es trabajar para usted mismo cuando usted es el dueño de la compañía. La gente viene y me dice, "Bueno, tengo un buen empleo". No sé lo que es un buen empleo. No conozco un buen empleo del cual no me puedan despedir. Nunca quise llegar a casa un día y decirle a mi esposa y a mis hijos que se habían librado de mí. He visto a muchas compañías cerrar. He visto muchas situaciones similares. Sabía que tener mi propio negocio era la única manera en que nada de eso importaría. Valdría la pena el sacrificio por obtener la libertad. Era mejor saber qué estaba pasando porque yo era el dueño, que estar ansioso por saber qué estaría pasando porque sólo era un empleado.

Uno de los errores más grandes que puede cometer, es pensar que tener un empleo es algo bueno y que lo llevará en últimas a alcanzar riqueza. Le pregunté a una joven recepcionista en Columbus, Ohio, que me dijera cuál era el factor más importante para lograr acumular riqueza. Ella me contestó, "Tener un trabajo, un gran trabajo". Yo estaba sorprendido por lo frecuente que esa respuesta es dada por aquellos que tienen un ingreso por debajo o igual al del promedio. Los millonarios rara vez responden de esta manera. En nuestra sociedad, es comúnmente aceptado que el encontrar un buen empleo, trabajar muy duro y subir, y escalar por la escalera de posiciones, adquiriendo mas responsabilidades, eventualmente nos llevará a un retiro dorado lleno de años de riqueza y felicidad. El hecho es que en realidad, un empleo escasamente nos proporciona lo suficiente para los hábitos que tenemos, como comer, pero rara vez nos lleva a la riqueza, y nunca nos llevará a la libertad.

Si quiere la libertad, sueñe en grande. Tenga fe en sí mismo. ¿Qué tan grande es su Dios?. ¡Sueñe en Grande!

Una de las primeras metas que me fije fue la de que mi esposa nunca tuviera que ir a trabajar de nuevo. Mi segunda meta fue la de que nunca más tuviera que rendirle cuentas a nadie o tuviera que tener un empleo. Una de mis terceras metas era ayudar a todos mis amigos a alcanzar un grandioso estilo de vida.

Cuando ingresé al negocio en Noviembre 1 de 1964, Birdie y yo tuvimos un sueño. Nuestro sueño era ganar mil dólares al mes y ¡SER LIBRES! No estábamos buscando autos enormes, piscinas o vacaciones. Estaba buscando libertad. Quería tener el control de mi vida. No quería que nadie más tomara decisiones por mí.

Ahora, hay algo que es vital entender. Usted está o no está comprometido. Mi primera meta fue la de querer ser libre. No estaba compitiendo con nadie más en los negocios, y había algo en mi interior que me gritaba, "Tu no vas a ser un idiota y no vas a trabajar para alguien más el resto de tu vida"

No diga, " ¿Qué pensarán mis amigos?" ¿Acaso sus amigos le imponen las reglas? ¿Toman ellos las decisiones por usted? Eso quiere decir que usted no está a cargo. Yo quiero estar a cargo de mi vida. Eso quiere decir que yo tomo las decisiones, no un jurado de personas que las toman por mí, aprobando lo que hago. Eso querría decir que no soy libre. No sabría quién soy si dejara que ellos tomaran las decisiones.

Hoy en día, vivimos una muy buena vida y tenemos libertad. Ganamos mucho dinero. ¿Cuánto dinero ganamos? No lo sé. Cuando usted sabe cuánto dinero se gana, es porque no gana mucho. Cuando usted sabe cuánto vale, es porque no vale mucho... ESO ES LIBERTAD.

Recuerdo cuando iba a una reunión de negocios en donde estaba anunciado que Norman Vincent Peale se presentaba como orador. Era la primera vez que iba a verlo; sólo había leído sus libros. Me senté en una mesa redonda en la parte de enfrente porque había un par de asientos desocupados. Al parecer nadie se estaba sentando allí, de manera que me fui hacia ellos. Tenía muchos deseos de escucharlo. Quería sentarme justo enfrente de él, de manera que me senté allí con mi grabadora y grabé toda la charla. Una vez terminó la reunión, el hombre que estaba sentado junto a mí dijo, "Señor Yager". Enseguida nos presentamos. Me preguntó a qué me dedicaba yo. Le respondí que era consultor de mercadeo, y luego me dijo, "Quisiera tener su dirección". Al día siguiente se presentó en mi casa en una limosina con chofer queriendo comprar la cinta que yo había grabado, y encima de todo me dijo, "Quisiera que viniera a trabajar conmigo". Yo le dije, "OH, ¿Qué quiere que haga para usted? Tengo mi propio negocio y soy feliz." Él dijo, "Me gustaría que entrenara a mi personal de ventas. Su tarjeta dice que usted es un consultor de mercadeo, y a mí me gustaría que ayudara a mi gente con su mercado."

Me senté y le expliqué, "Mire, estoy en un negocio y uso el término de 'Consultor de Mercadeo' como un gancho para provocar curiosidad. Es por eso que está en mi tarjeta, ¿de acuerdo? No tengo ningún grado en mercadeo ni cosa por el estilo." El entonces dijo, " ¿Qué le parecen sesenta mil dólares al año?". Le dije, "usted no parece entender." Él dijo, "Es usted el que no entiende. Yo lo quiero a usted. Soy propietario de esta gran compañía llamada Pittsburg Steel..", Y así siguió contándome todo acerca de su compañía. Él dijo, "Necesito un hombre con coraje, como usted". Yo le respondí, "bueno, tengo mi propio negocio." Él dijo, "Un día a la semana, sesenta mil al año." "No". "Noventa mil." "¡No!"

Estaba pensando todo el tiempo, rayos, "nadie jamás me había ofrecido algo así antes, y tuve que decir que no a causa de mi sueño, y el esta ahí elevando su oferta lanzando cifras sin importar lo que le diga y aun así me quiere". Me di cuenta mas tarde de que yo era un tipo muy parecido a él. Él me quería; cualquiera que fuera el tiempo que le dedicara sería mucho más de lo que cualquiera le hubiera dedicado trabajando tiempo completo. Quería mi sueño y mi compromiso. Pero fue como un enorme cheque de bonificaciones el simple hecho de saber que podía decir, ¡NO! ¡NO NECESITO UN TRABAJO! ; ¡NO ME PUEDE OFRECER EL DINERO SUFICIENTE! Sabía lo que la libertad valía.

## Capítulo 2

# ¿Si usted no es usted mismo, entonces en quién se va a convertir?

Manejando mi auto por la carretera el día de ayer, vi un adhesivo en el parachoques de un auto que me hizo tocar la bocina y mostrarles mi "dedo hacia arriba" en señal de aceptación. Decía, "prefiero ser odiado por lo que soy, que ser amado por lo que no soy". Usted tiene que saber quién es en realidad. Cuando sabe quién es, no se lo tiene que probar a nadie más.

Por ejemplo, unos muchachos fueron a encontrarse con este tipo. Y caminando por el aeropuerto, un par de jóvenes trataron de lanzarle un puñetazo. Mitad en broma pero noventa por ciento real. Y ellos pensaron, vamos, "quisiera noquearlo". El tipo con el que estaban bromeando era Mohamed Ali. El no trató de probar nada lanzado un puño en su defensa (y tal vez noqueándolos). En cambio respondió, "hola". Él sabe quién es en realidad.

Una mujer de mediana edad sufrió de un ataque al corazón y fue llevada al hospital. Mientras estaba en la mesa de cirugía tuvo una experiencia de esas como si ya hubiera llegado su hora. Viendo a Dios, le preguntó si en realidad había llegado su hora. Dios dijo, "No, todavía tienes por delante 43 años, 2 meses y 8 días más de vida.

Una vez recuperada de su ataque, esta mujer decidió quedarse en el hospital para hacerse una cirugía facial, liposucción, levantamiento de glúteos, etc. Inclusive hizo que alguien viniera a cambiarle el color de su cabello, todo esto porque como se imaginaba que tendría mucho más tiempo de vida, lo viviría lo mejor que pudiera. Salió del hospital después de su última operación y mientras cruzaba la calle murió atropellada por una ambulancia que se acercaba a gran velocidad al hospital. Cuando de nuevo llegó ante Dios, le reclamó, "Pensé que habías dicho que tenía otros cuarenta años"

Dios le respondió, "No te reconocí"

Sea usted mismo. Piénselo: ¿Acaso la mayoría de la gente inconforme que usted conoce no están tratando de ser algo que no son, o haciendo algo que no les corresponde? "La recompensa a la conformidad es agradarle a todo el mundo excepto a sí mismo." (Rita Mae Brown)

Todos los que alguna vez se han convertido en personas grandiosas, han sido un "nadie" que ha decidido ser "alguien." Han sido unos "nadie" que han decidido ser "alguien." Solamente me estoy preguntando, ¿Cuándo va a decidir ser alguien? ¿Qué piensa de eso?

Su potencial es lo que usted decida. Una de las cosas más difíciles de subir por la escalera del éxito, es sobresalir de la multitud de copias en la base. El número de personas que no aprovechan sus talentos es mayor que el número de personas que sí se aprovechan de los escasos talentos que tienen. Usted es un especialista. No ha sido creado para ser todas las cosas ante todas las personas. Usted es el milagro más grande del mundo. ¡Manténgase erguido, no se doblegue!

Cuando nos miramos a nosotros mismos, estamos mirando la obra de nuestro Dios. El no cometió errores cuando lo creo. No permita jamás que alguien le diga eso. Ninguno de nosotros es perfecto, porque si lo fuéramos, ninguno de nosotros lo reconocería ya que de todas maneras, hay mucha gente allá afuera criticando al que sea. Cuando alguien nos critica se siente bien consigo mismo. De manera que dejemos que se sientan bien con ellos mismos y no lo tomemos de manera personal. Cuando nos critican es una señal de una baja auto imagen de su parte. Reconozcámoslo, sigamos adelante y concentrémonos en aquello que es bueno.

Usted y yo no queremos ser iguales. ¿No es eso cierto? Y nunca podrá convertir a un perdedor en ganador a menos que él decida cambiar. Lo que no usa lo pierde, y por eso he creado un montón de malos hábitos en mi vida que he tenido que cambiar. Solía tener un hábito terrible. Cada vez que hacía algo que estaba mal, decía, "Por qué lo hiciste, idiota. Dexter estúpido, ¿Por qué hiciste eso?" Tuve que dejar de llamarme a mí mismo idiota estúpido. ¿Cuántos de ustedes han hecho algo así, como llamarse a sí mismos idiotas estúpidos? Nunca más lo vuelvan a hacer. Usted no es estúpido, usted no es un idiota, y deje de menospreciarse. Y no deje que sus amigos, los políticos, o alguien más lo coloque en una categoría en la cual no quiere vivir.

Usted fue creado a propósito con un propósito. Hay algo que tiene que hacer que nadie más lo puede hacer como usted lo hace. Entre millones de candidatos, usted es el más calificado.

Se dice que el mayor enemigo de lo grandioso es lo bueno. El más grande enemigo que la mayoría enfrentamos, somos nosotros mismos. Esa vocecita regañona que nos dice, "Se como él, no vales la pena, haz lo que ella hace, ve hacia donde va todo el mundo." Cuando trata de ser como alguien más, lo mejor que puede lograr, es llegar es a ser el segundo mejor. Déjeme decirle, en cada generación siempre habrá un cierto número de gente que va a controlar todas las industrias. Todo el mundo dirá, "bueno, ya es demasiado tarde para eso." No es demasiado tarde para nada. Las iglesias más grandes aun no se han construido. Usted es un campeón escondiéndose en un caparazón. ¿Cuándo saldrá de su escondite para darse cuenta de quién está allí escondido? Si pretende cambiarle la manera de pensar a alguien, lo primero que tiene que hacer es cambiar de manera de pensar acerca de usted mismo. No se vaya a encontrar a sí mismo diciendo lo que dijo el gran evangelista Dwight L. Moody, "No he conocido un hombre que me haya dado más problemas que yo mismo."

Tiene que comenzar a pensar acerca de sí mismo como aquella persona que quiere llegar a ser. "Dele al hombre que quiere ser una descripción del hombre que es" (Edgar Guest). Cambie aquello que se dice a sí mismo. "Nadie sabe lo suficiente acerca de ser pesimista" (Norman Cousins). Recuerde, "Una de las cosas buenas acerca de los problemas, es que buen número de ellos no existen sino solo en nuestra imaginación" (Steve Allen). El miedo que siente, está únicamente dentro de usted mismo y en ningún otro lugar. Existen dos fuerzas luchando dentro de nosotros. Una de ellas dice, "No puedes", la otra dice, "Con Dios, tu puedes"

Saben, si ponen a cien hombres de veinticinco años de edad, uno al lado del otro, para cuando lleguen a la edad de sesenta y cinco, uno de ellos será rico. Todo parecía equitativo. ¿Por qué algunos le toman tanta ventaja a los demás? Es su manera de pensar, a quien escogieron por mentores, o a quienes siguieron por ver en ellos la persona en que se querían convertir. Si el 90% de la gente con la que habla de su sueño, se ríe, y después usted quiere que lo acepten, puede despedirse de su sueño. Está perdido. Perdido por la alternativa que escogió. Si quiere las cosas buenas, vaya y averigüe quién tiene esas cosas buenas. Hágalos sus mentores. La gente que tiene sueños grandes piensa diferente al resto. La razón por la cual algunas personas son ricas y otras pobres, es por la forma en que piensan y la forma en que actúan.

Tengo prejuicios de todo el mundo. Todos son especiales de alguna manera. A veces, Birdie y yo somos presentados como una pareja real. Yo me llamo Royal (Real). Mi segundo nombre es Royal (Real) ¿Le gustaría llamarse Royal (Real)? Me tomaban del pelo cuando era niño. Me molestaban por ese extraño nombre que me dieron mis padres. Pero mi madre me contó que Dexter era su segundo nombre. Ella hizo que me sintiera orgulloso de mi nombre Dexter. Mi abuelo y mi bisabuelo se llamaron Royal Jay Yager. Ahora yo llevo el nombre de mi madre y el nombre de mi padre. Llevo el nombre de la familia. Tengo prejuicios. Estoy orgulloso de ello. Siéntase orgullosos de ser quien es. Siéntase orgullosos de venir de donde viene. Siéntase orgulloso de sus hijos. Demasiada gente le predice a sus hijos que van a ser unos perdedores. Identifique sus características de ganadores. ¿De acuerdo? Encuentre aquello que está bien en ellos y edifique lo que está bien.

¿Qué va a ser usted? ¿En quién se va a convertir? ¿Qué va a hacer? Dios lo creó, y el no hace basura. No me importa si es

17

de color morado con negro con manchas blancas. Dios solamente creó a uno como usted. Debe estar orgulloso de eso. Yo mido 5 pies y 6 pulgadas, y es todo lo que tengo. Quería medir 6 pies y 5 pulgadas. De alguna manera los números se confundieron. Pero me di cuenta que no importa qué tan alto seamos exteriormente, lo que cuenta es que tan altos somos en nuestro interior. Ahora, todos somos diferentes. Dios no hizo otro igual a nosotros. Solamente lo hizo a usted con cosas buenas y malas. ¿En cuáles se quiere enfocar?

Mucha gente en Norte América ha tomado posiciones por lo que no son. Terminan viviendo sus vidas como completos extraños para sí mismos. Cuando Birdie y yo nos dimos cuenta de donde veníamos y lo que pensábamos de nosotros mismos, no pensábamos que éramos especiales, ni siquiera que podríamos convertirnos en personas especiales, pero entonces empezamos a dar pasos y a tomar decisión tras decisión. Y cuando sé está allá afuera, y aprende a hacerlo, paso a paso, ensayando y errando, fracasando y levantándose de nuevo, y de pronto se vuelve uno bueno en algo y empieza a pasar a los demás. Entonces es cuando comienza a darse cuenta de que cualquiera puede hacerlo. Es ahí cuando se da cuenta de que la más grande enfermedad de la gente americana no es el SIDA. La mayor enfermedad en América es la pobre auto imagen, es gente que piensa que no tiene lo que se necesita. Usted tiene que tomar lo que tiene y desarrollarlo. Y entonces, de repente, usted dirá, " ¿Yo? ¿Hacer eso? Está bien, trataré. Bueno, trataré otra vez. Por Dios, «¡Miren lo que he logrado!" Se sorprenderá de lo que es capaz.

Pero cuando no sabe quien es, se podrá ver ahorcado y arruinar cualquier cosa por pequeña que sea. ¿Sabe a lo que me refiero? De manera que es por eso por lo que simplemente adoro ver personas que pueden aprender a ser quien en realidad son, en una etapa temprana de su vida. Aprender a ser real, a divertirse, y a no preocuparse todo el tiempo por lo que los demás puedan pensar acerca de usted. La gente se preocuparía menos acerca de lo que piensan los demás, si tan solo se dieran cuenta de que rara vez lo hacen. Los demás no se preocupan por usted; ¡siempre sé están preguntando acerca de lo que usted piensa de ellos!

Es sorprendente, a lo largo de su camino hacia el éxito, sin importar si es un muchacho joven o si tiene cuarenta o cincuenta años, alguien más estará decidiéndole cuál debe ser su lugar en la vida. Qué tan valioso es. Cómo debe pensar y cómo debe ser. Pero en la vida, tiene que tomar una decisión final acerca de sí mismo, porque es su propia vida. Ese viejo dicho es cierto, "Si no decide qué hacer con su vida, alguien más lo hará por usted"

Usted sabe lo importante que es ser usted mismo. La mayoría de gente no sabe quien es, y dejan que todos los que tienen alrededor les digan quienes son. Estoy aquí para decirle que todo aquello que sus amigos le han dicho, está equivocado. Usted es un ganador pero sólo si escoge serlo. No fue un accidente; fue una decisión. Una auto imagen de éxito es simplemente una decisión tomada.

¿Qué es lo que va a ser hoy? ¿Va a dejar que el mundo lo controle y le evite ser exitoso? Yo no, yo no. Esta valiosa decisión lo obliga a hacer lo que tiene que hacer. Tiene que aprender cómo ponerse a producir, porque usted es el más valioso activo que jamás tendrá.

Nadie más lo va a respetar si antes no se respeta a sí mismo. El problema surge cuando se mira a sí mismo buscando un defecto, o cuando se esconde detrás de un defecto en vez de desarrollar una habilidad. Para ir tras un sueño, no deben importar los hechos, ya que cada ganador tiene que sobreponerse a algo. Su poder está en creer en sí mismo.

El logro es vida. De eso se trata todo esto. Es la oportunidad de deshacerse de esta pésima auto imagen que las escuelas y los avispados parecen meter a la fuerza dentro de cada uno de nosotros. Muchos de nuestros padres, a los que amamos, maestros, hermanas, hermanos, primos, predicadores, congresistas, senadores, los medios de comunicación, y todos los que nos rodean, nos enseñan y nos tratan como si fuéramos menos que los mejores, y eso no está bien. El noventa por ciento de lo que nos han enseñado está mal. Y hasta que usted no se despierte y no sé de cuenta de que están equivocados, no se moverá. Tiene que darse cuenta de que Dios nos hizo, y el no bromea. Él hace lo mejor.

Atrévase a ser quien es.

## Capítulo 3

# Ayude a los demás a ser mejor de lo que puedan soñar.

Martín Luther King J. dijo, "Todos pueden ser grandiosos...porque cualquiera puede servir." Viva una vida en donde deje a los demás en mejores condiciones en que los encontró.

La Biblia, en Proverbios 11:24,25 dice, "¡Hay quienes reparten y les es añadido más; Y hay quienes retienen más de lo que es justo, pero vienen a pobreza. El alma generosa será prosperada; y el que saciare, él también será saciado!" Usted fue creado para cambiar y ayudar a los demás.

Si quiere ser alguien, tome a una persona que piense que no es nadie y trátela como si fuera un alguien. Cuanto trata a todo el mundo como si fueran alguien, ellos pensarán que usted es alguien, no porque usted sea tan grandioso, sino porque los habrá hecho sentir especiales. Creo en usted. Veo en usted mucho más de lo que usted mismo ve.

Invierta en el éxito de los demás. Cuando ayuda a alguien a subir una montaña, se encontrará cerca de la cima también. Si quiere que los demás mejoren, déjelos escuchar las cosas amables que usted tiene que decir acerca de ellos. La gente lo tratará en la misma forma en que usted los ve. Encuentre las cosas buenas en cada uno de ellos. Resalte sus fortalezas, no sus debilidades. Encontrará que una de las mejores formas para liderar a las personas es hacerles sentir que los está respaldando. Mucha gente puede vivir por dos meses con un cumplido de cinco palabras y una palmadita en la espalda.

Un buen entrenador está siempre construyendo su equipo. No siente celos de su mejor jugador y no desprecia a sus otros jugadores. Siempre está tratando de armar su equipo de "mejores jugadores." Les enseña a ser parte del equipo. Sin tener ninguna importancia saber quién es la estrella del equipo, siempre quiere que el equipo gane el juego. Ser el jugador menos importante del equipo ganador es mucho mejor que ser el jugador más importante del equipo perdedor. Lo ve, un entrenador puede ver mucho más en el atleta de lo que él mismo ve. Es por eso que es capaz de ser el entrenador.

Cuando esté buscando ayudar a otros, no lo haga hasta que le duela, hágalo hasta que se sienta bien. "Ningún hombre ha sido honrado por lo que ha recibido. El honor ha sido siempre la recompensa por lo que ha entregado" (Calvin Coolidge).

En la medida en que construya su negocio, entienda que está invirtiendo su vida y su tiempo en personas. Al principio, a aquellos que no escuchan, les seguiremos tratando de enseñar. Pero si continuamos invirtiendo tiempo y dinero en personas que no escuchan, entonces tendremos que seguir adelante. Tienen que estar lo suficientemente hambrientos para aprender. No todos tendrán éxito porque no todos escuchan.

Creo que uno de los rasgos de verdadera grandeza es desarrollar grandeza en otros. "Existen tres claves para lograr una vida más abundante: preocuparse por los demás, atreverse por los demás y compartir con los demás" (William Ward). Nunca he hecho dinero de nada de lo cual mi gente no hubiera hecho dinero también. Normalmente ellos hicieron dinero primero que yo.

Me he dado cuenta de que los hombres realmente grandiosos tienen esa única perspectiva de que la grandeza no fue depositada en ellos para quedarse allí, sino para fluir por ellos hacia otros. "Nos ganamos la vida por lo que conseguimos, pero vivimos por lo que damos" (Norman MacEwan). Asígnese el propósito de hacer felices y exitosos a los demás.

21

Hay dos tipos de personas en la vida: aquellos que entran en un cuarto y dicen, "¡Aquí estoy!" Y aquellos que entran y dicen "Ah, ¡Ahí están ustedes!"

Cuando usted brinda amor y preocupación, entonces está ayudando a los demás. Pero algunas veces más importante, está aprendiendo a ayudarse a sí mismo. La mejor manera de levantarse es enseñando a alguien más a hacer lo mismo. Tiene que preocuparse por los demás, y alguien se preocupará por usted. Tiene que estar dispuesto a compartir y alguien compartirá con usted.

Todo el mundo cuenta. La gente tiene problemas por donde quiera que usted vaya. Necesitan amor. Necesitan cuidado. La gente dice, ¿Cómo es que ha impactado a tanta gente? ¿Por qué se preocupa por la gente? Nos involucramos en sus vidas. Todos son importantes. Si queremos ser importantes necesitamos que todos los demás se sientan importantes. Porque lo que da es lo que recibe. Necesitamos estar dispuestos a sobresalir en la vida si queremos que las cosas buenas pasen. Necesitamos estar dispuestos a arriesgar nuestra imagen. De otro modo, no vamos a hacer ninguna diferencia. De manera que mientras escuchemos a la gente, ellos nos escucharan a nosotros. Simplemente si se trata de negocios o se trata del Señor; hace una diferencia.

Ayude a otros a sobresalir. El éxito viene de ayudar a otros. Tenemos nuestra historia de éxito porque hemos ayudado a más personas llegar más lejos en este negocio, que cualquiera otro jamás lo haya hecho. Es así de simple. Tuvimos que encontrarlos. Tuvimos que pasar por muchas personas para encontrar a algunos que han hecho mucho. Usted también lo puede hacer.

Todos podemos experimentar el éxito, pero ¿Cuánto éxito desea? ¿Cuánto quiere ayudar a otros a descubrirlo?

Piense en mí como si fuera inferior a usted, porque puede convertirse en algo más grande que yo. Cualquiera puede convertirse en algo más grande que yo, pero usted tendrá su lengua colgando cuando me pase enfrente. ¿Cuál es esa línea entre nosotros? Es una línea de comunicación. Es mi mano extendida hacia usted ayudándolo a tener éxito. Yo deseo que tenga éxito, pero usted tiene que desearlo más que yo. Es su negocio. Si no está dispuesto a hacer el trabajo, yo no lo puedo hacer por usted. Pero si le puedo enseñar. Y lo voy a ayudar. Y si sus amigos necesitan alguna ayuda, lo solucionaremos, y veremos quién es el que lo desea más, y trabajaremos más duro con él. Recuerdo cuando tiempo atrás solía vender autos, mi gerente de ventas me dijo, "Dexter, una cosa que tienes que aprender es a decir no." Y siempre ha sido lo más difícil en mi vida, decirle no a alguien. Algunas veces, lo mejor que puede hacer por los demás es decir "No."

Recuerdo mi primer ataque. Un mes en el hospital. Ocho neurólogos dijeron que jamás abandonaría la silla de ruedas. Nunca caminaría de nuevo. ¿De acuerdo? Esa era su decisión, no la mía. Me sentí feliz cuando abandone el hospital, feliz de seguir con vida. Pero había sido muy golpeado verbalmente en el hospital. Llegué a casa y le ofrecí a Birdie el divorcio. Le dije que ella no se merecía vivir con semejante despojo. No es tu culpa. Eres una hermosa mujer de cuarenta y seis años; no necesitas esta clase de basura. Al día siguiente me desperté y encontré una tarjeta a mi lado en la cama. Ella había escrito, "la única cosa que cuenta es que nos tenemos el uno al otro." Sabe, es sólo un pequeño enunciado. Es sólo una pequeña frase, pero significó para mí el mundo entero en ese momento. Esposos y esposas, en su tarea de ayudar a los demás, no se olviden de ayudarse "el uno al otro." La gente necesita ser elogiada y amada. Somos lo suficientemente criticados y condenados allá afuera.

Uno de mis secretos del éxito es el de enamorarme de alguien a quien le puedo servir. El crecimiento viene de alguien que lo ama más de lo que usted mismo se ama, pero que sabe que necesita de un mentor. Sabe además que usted vendrá con sus problemas buscando ayuda para resolverlos. Nosotros no resolvemos los problemas de la gente. No le decimos a la gente lo que debe hacer. Nos sentamos y le ayudamos a la gente a decidir qué es lo que deben hacer, a no ser que vayan en la dirección equivocada. Entonces, sencillamente les decimos, "Esta es la dirección equivocada. Manténgase en la dirección correcta."

Haga lo mejor que pueda y nunca se rinda, cuando de ayudar a la gente se trate. Se necesita de fe. Nunca se deja de amar a una persona. No importa si se rinden aquí, hacen esto o hacen aquello, o brincan aquí o brincan allá. No tiene

23

que dejar de amarlos. Tiene que entender lo que significa amar. El amor es una decisión. Usted escoge amar o no amar a alguien. Una vez que ha decidido amarlos, entonces será fácil hacerlo. Pero no es siempre fácil respetarlos. Una persona se gana su respeto. Pero no se ganan su amor. Tiene que aprender a separar estas dos cosas en su mente. Ante ciertas circunstancias, es su trabajo salir y pararse enfrente y decir, "Tu puedes hacerlo."

La esperanza es algo que podemos darnos el uno al otro. La esperanza es algo que los amigos se dan entre sí. La esperanza es aquello que tenemos que nos mantiene viviendo. De manera que dé esperanza por todos lados.

# Capítulo 4

## El éxito es acerca del fracaso.

Los errores tienen poderes ocultos que pueden ayudarnos, pero han fallado en esa misión cuando culpamos a otros por nuestros errores. Cuando usa excusas, está renunciando al poder de cambiar y mejorar. "No se preocupe por quien elogia, pero si preocúpese por quien culpa" (Edmond Gosse).

Todos experimentamos el fracaso y hemos cometido errores. De hecho, la gente exitosa ha tenido más fracasos en su vida que la gente promedio. La gente grandiosa, a través de la historia, ha fallado en algún aspecto de sus vidas. Aquellos que no esperan nada, nunca se van a sentir mal; aquellos que jamás lo intentan, jamás fracasan. Cualquiera que actualmente esté logrando algo en la vida, está a la vez arriesgándose al fracaso. Siempre es mejor fracasar al intentar algo que mejorar en no hacer nada. Un diamante en bruto es mucho mejor que un ladrillo perfecto. La gente que no tiene fracasos tiene pocas victorias. El éxito no es lo que la gente piensa. El éxito se trata del fracaso mismo. La persona que fracasa más, normalmente es la que tiene éxito al más alto nivel.

He hecho cosas estúpidas. Estaba pensando en muchas de las cosas estúpidas que he hecho. Recuerdo estando sentado en una tarima dándole golpecitos en la pierna a esta mujer de nombre Nancy. Estaba ahí sentado dándole golpecitos y diciéndole,

25

"Este es el año, mujer" No me detuve a pensar que era la pierna de Nancy Reagan a la que le estaba dando golpecitos. ¡Hablamos de un error! Fue el año en que su esposo se convirtió en presidente de los Estados Unidos. Nunca olvidaré cómo el Señor Reagan y yo nos tomamos de las manos y nos arrodillamos con otro hombre y rezamos por que fuera elegido presidente de los Estados Unidos. Hay poder en la oración.

Birdie y yo hemos sido lo más tonto que hemos podido ser en cada cosa que hayamos podido hacer. Pero al mismo tiempo, siempre hemos querido que todo lo que hacemos funcione. Los dos tenemos algo de testarudos y no somos tan fáciles de lidiar. Cuando usted es lo suficientemente testarudo, no puede tolerar el fracaso. Si quiere tener éxito, tiene que aprender que va a tener que manejar el fracaso. El fracaso lo prepara para manejar el éxito.

Todos los días actúo basado en la fe. Algunas veces sale bien, y otras no. Pero prefiero estar equivocado que perder la oportunidad de cambiar algo.

El dicho de que no se le puede enseñar a un perro viejo nuevos trucos está errado porque podemos hacer cualquier cosa que creamos que necesitamos hacer. Tenemos que escoger lo que está bien o lo que está equivocado. Podemos quedarnos atorados en nuestros errores o admitir que escogimos lo equivocado, levantarnos y seguir adelante con nuestras vidas.

El éxito consiste en levantarse justo una vez más de las veces que se cae. "Usted no se ahoga por caer en el agua. Usted se ahoga por quedarse allí", dijo el autor Ed Cole. Proverbios 28:13 dice, "el hombre que se rehúsa a admitir sus errores nunca tendrá éxito, pero si los reconoce y se sobrepone, tiene otra oportunidad"

Si tiene un sueño que no tiene problemas, entonces realmente no tiene un sueño legítimo. Tiene que tener la actitud de Louisa May Alcott: "No me atemorizan las tormentas ya que estoy aprendiendo a navegar mi barco." Samuel Lover dijo, " Las circunstancias son las reglas de los débiles; pero son los instrumentos de los sabios." No deje que los problemas le tomen la delantera. Tome usted la delantera. Los problemas a los que se enfrente simplemente son una oportunidad para que pueda hacer las cosas mejor.

Cuando esté fallando, no se enfoque en el fracaso; enfóquese en el sueño y en la recompensa. Para la gente, lo más difícil de entender acerca del éxito, es cómo maximizar sus fracasos. No es el fracaso lo que lo destruye. Es cómo se enfrenta a él. Todos contamos la historia de Edison acerca de cómo descubrió mil maneras en que no funcionaba la bombilla eléctrica. ¿Va usted a descubrir más de mil formas en que las cosas no le van a funcionar? ¿O las va hacer funcionar? De eso es de lo que se trata el éxito, tener mas fracasos que triunfos. Mientras que todos los demás están llevando las cuentas de sus éxitos y fracasos, usted estará persiguiendo sus sueños. No deje que sus fracasos del pasado se conviertan en los fracasos del futuro.

No es un problema tener que empezar de nuevo otra vez. Es una bendición que esté vivo para poder comenzar. Tiene que mirar las cosas desde la perspectiva correcta. Seguro, tuve ese ataque. No estoy del todo bien como solía estarlo, pero aprecio más el estado en que me encuentro. Me siento bendecido todo el tiempo. Oriente su fe hacia lo positivo, no lo negativo.

Un ganador siempre toma un problema y lo convierte en una solución. Toma una tragedia y la convierte en una bendición. Dios quiere que estemos bendecidos, pero ¿le permitiremos ayudarnos?

En boxeo, no existe ninguna diferencia si lo noquean, si no se queda en la lona hasta el conteo final. Ningún ganador se quedará en la lona esperando el conteo. No es lo profundo que caiga, sino que tan alto se levante, lo que hace la diferencia. Levántese y comience a pelear de nuevo. El hecho de que haya ganado la pelea alguna vez no hace ninguna diferencia. Yo quiero pelear hasta el día en que cierren la tapa de mi ataúd, entonces podré decir, "Hey, supongo que acabamos aquí y me mudaré al cielo y comenzaré a trabajar porque tenemos mucho que hacer"

Quiero que se lleve a casa un sueño de este libro. No me importa cual sea el sueño ni cuales sean los errores que haya cometido. La muerte de su sueño no podrá ser causada por un fracaso. Su sueño morirá por indiferencia y apatía.

Estoy comprometido a vivir mi vida cada día al levantarme

cada mañana y saber que cuento con bendiciones. Estoy comprometido a levantarme, aun si siento dolor físico, y doy gracias a Dios, porque de no ser por el dolor, estaría muerto. Doy gracias a Dios porque esas cosas son bendiciones para mí.

Hay tanta gente que se amarga la vida. Usted no puede amargarse la vida, lo que tiene que hacer es volverse mejor. Encuentre la manera de trabajar mejor. Cada vez que vivimos una experiencia adquirimos una valiosa educación. ¿Por qué entonces debemos ser inteligentes y estar quebrados?

Más personas se estancan en las cosas malas en vez de hacerlo con aquellas cosas buenas, y es por eso que terminan quebrados en vez de terminar siendo ricos. Si usted ha de convertirse en una persona rica, tiene que mantener su manera de pensar en la forma correcta. Tenemos que empezar a desarrollar hábitos de éxito. Tenemos que dejar de tomar las cosas en forma personal. Solo ha habido un Dios perfecto que caminó por esta tierra, y fue crucificado. De manera que no espere perfección de usted mismo. Si lo hace, lo único que hará será terminar ahorcado.

La clave está en que cuando se tiene éxito, se sabe que se puede hacer de nuevo. Pero cuando continuamente está obteniendo fracasos, lo único que va a pensar es que estos se van a repetir. Va a seguir creyendo en lo que está haciendo, y tiene que obtener un par de éxitos para saber que lo puede lograr de nuevo. Si lo he hecho una vez, lo puedo lograr cientos de veces.

Es muy difícil cuando alguien que lo está entrevistando trata de referirse a su éxito como si fuera suerte. Ese es el más grande insulto que le puede dar a cualquiera. No me importa lo que haya hecho con su vida, ha tomado algunas decisiones y eso no fue un accidente. Tal vez hayamos sido bendecidos, pero todos en el mundo tienen algún tipo de bendición. Hay tanta gente quienes están permanentemente contando lo que ellos consideran sus tragedias, en vez de hacerlo con sus bendiciones. De cada una de las tragedias de nuestras vidas, siempre hay una bendición incluida.

Es mejor fallar haciendo algo que sobresalir no haciendo nada. Errores y fracasos, son dos escalones seguros en los pasos hacia el éxito. "La mayoría de la gente piensa acerca del éxito y el fracaso como dos cosas opuestas, pero en realidad son producto del mismo proceso" (Roger Von Oech). Su temporada de fracasos es la mejor época para sembrar las semillas del éxito.

De vez en cuando, la gente dirá, "Bueno, esto no es justo." Recuerdo a Jerry Meadows diciendo, "Quien dijo que la vida era justa." Cada uno de nosotros tiene una cruz diferente que cargar, y tiene que aprender a gustar de su cruz. Hay un viejo dicho, si cada uno tuviera que traer su cruz, y apilarla en un rincón, al ver lo que allí se encuentra, la mayoría se la llevaría de vuelta a casa. Se darían cuenta de que lo que creen que es malo, después de todo, no lo es tanto, cuando lo comparan con lo que otras personas tienen que soportar. Ese viejo dicho es muy cierto, "Todos pueden ser tan felices como quieran o tan miserables como escojan serlo".

He tenido gente que dice, "Si, está bien, tan exitoso como lo eres tu; puedo ver por qué eres feliz y por qué tienes buena actitud." Yo digo, "No, no, lo entendiste al revés. Soy tan exitoso como lo soy, y soy tan feliz como lo soy, porque tuve esta misma actitud hace años cuando estaba quebrado. Con todo lo que ha pasado, siempre he tratado de ver el lado bueno de todo." No puede pensar que el mundo lo está persiguiendo. Tiene que decir, "Este es mi mundo, y lo voy a obtener sin importar qué tanta pelea me dé".

El camino al éxito siempre estará en construcción. ¿Sabe por qué? Porque siempre esta tan transitado, y se hacen tantos desvíos y nuevos caminos que requiere de permanente construcción. Algunas personas salen allá y enredan mucho el camino para luego volver a casa. Pero la persona realmente comprometida entiende que los baches del camino son algo normal en una carretera tan transitada. Saben que el camino está en mejor estado en la medida en que se acercan a la cima, porque muy pocos llegan tan lejos. Pero mucha gente se desanima cuando, al principio, sufren de los baches y del mal estado del camino en sus comienzos.

Tiene que ser como un granjero. El granjero siembra sus cultivos año tras año, sabiendo que va a sobrevivir. Seguro, en cualquier año, el frío puede arrasar sus cultivos, y en el año siguiente, el viento los puede arrancar. Pero él sabe que aun así, habrá algo de la cosecha que se salve. Continúa sembrando porque sabe que cada vez que tenga una cosecha, tiene que guardar algo para convertirla en semilla y volver a sembrar. Si continúa sembrando se va a multiplicar. Tiene que cosechar. Lo que siembre, eso recogerá. Tenemos que aprender a sembrar mucho. No todo aquello que sembremos se dará. El viento y el sol secarán algunas semillas. Sucederán todo tipo de cosas. Pero a pesar de todo eso, nos aferramos a las escrituras que dicen, "No te preocupes de hacer el bien, en cualquier momento, aun si no es la estación, habremos de cosechar si no nos rendimos."

No es el marcador que alguien más está llevando acerca de nuestras vidas; es el marcador que usted lleva lo que hace la diferencia. Mucha gente tiene una baja auto imagen en la vida debido a que están siempre leyendo el marcador que las demás personas están llevando de sus vidas. Tiene que empezar a llevar su propio marcador cada vez que gane. Recuerde sus triunfos, no sus derrotas. No todo el mundo gana siempre, pero si sólo cuenta sus derrotas, entonces va a pensar que siempre ha perdido. El hombre que cree que puede hacer algo, probablemente está en lo cierto. Y también lo está el hombre que no se cree capaz de hacerlo. Los ganadores siempre esperan ganar por adelantado.

El más grande error que puede cometer en la vida es temer continuamente que cometerá alguno. "No tema fracasar. No gaste energía tratando de cubrir un error. Si no está fracasando, no está creciendo, dijo H. Stanley Judd.

## Capítulo 5

# No se detenga después de una victoria

La mayoría de la gente siempre está buscando finales. Pero los ganadores, en la medida en que se acercan al final, saben que tienen que encontrar un nuevo comienzo. Tiene que tener nuevos comienzos todo el tiempo.

A la mayoría de las mujeres se les enseña desde pequeñas, que deben encontrar su príncipe y vivir feliz por siempre jamás. ¿Qué quiere decir vivir feliz por siempre jamás? Es triste, pero el promedio de parejas americanas, se casan jóvenes, tienen muy severas peleas, ahorran unos dólares, después pagan la cuota inicial de la casa de sus sueños, salen a comprar muebles nuevos, se compran un par de autos, y para cuando llegan a la edad entre veinticinco y treinta años de edad, tienen tantas cosas materiales como las que tienen sus padres. Están avanzando de manera increíble. Y desde ahí en adelante tratan de mantener todo esto. Y desde ahí en adelante, su vida se vuelve una carga por tratar de mantenerla. Si buscaran algo más, no tendrían problema en mantenerla. Pero como su meta es mantenerla, muchas veces pierden lo que tienen. Si estuvieran orientados siempre en su meta, esto es, obtener estas cosas mucho antes que sus padres, entonces, aferrarse a esto hubiera sido como si nada.

"Hay dos tipos de hombre que no aspiran a mucho"(Cyrus H.K), le dijo Curtis a su asociado un día. "Y, ¿Cuáles son

31

ellos? Inquirió Bok. "Aquellos que no pueden hacer lo que se les ha dicho." Replico el famoso editor, "y aquellos que no saben hacer otra cosa" (Revista del Domingo de la Escuela). Su nombre es Encójase o Estírese. ¿Cuál es su nombre? ¿Cuál es su apodo? ¿Qué será de ahora en adelante? "Estírese" de otro modo se encogerá.

El primer paso para dirigirse hacia un lugar significativo es decidir que no se va a quedar en donde está. Una vez que esté en movimiento, podrá seguir en movimiento. ¿Acaso Michael Jordan dejó de anotar después de hacer su primera cesta? ¿Acaso John Grisham dejó de escribir después de su éxito en ventas? La gente exitosa sabe que con cada victoria se obtiene un boleto de entrada a una oportunidad aun más retadora.

Una vez que haya encontrado una mejor manera, hágala aun mejor. Si no se le ocurre una nueva idea, trate de encontrar una mejor manera de usar una idea anterior. El progreso se debe a aquellos que no estaban satisfechos con lo que tenían. La mayoría de hombres se encuentran con el fracaso por su falta de persistencia en crear nuevos planes con el fin de adicionarlos a aquellos con los cuales han tenido éxito.

"Las bellotas eran buenas hasta que el pan fue encontrado" (Francis Bacon). "Donde no podemos inventar, al menos podemos mejorar" (Charles Caleb Colton). "Lo importante es esto: ser capaces de sacrificar lo que somos, por lo que podemos llegar a ser" (Duboise). Si en el primer intento tiene éxito, entonces intente algo más difícil. "La diferencia entre ordinario y extraordinario es ese pequeño extra" (Zig Ziglar).

Todos podemos experimentar el éxito, pero ¿cuánto éxito desea? ¿Cuánto desea?

Mire como es la vida, no sabemos de lo que somos capaces hasta que no nos forzamos. Aquellos que lo saben todo, no crecen nada. Usted está aquí para crecer. La vida es acerca de crecer.

Recuerda esto a lo largo de tu vida-
Mañana, habrá más que hacer sin duda
Y el fracaso espera para todos aquellos que se quedan para ver
Con algún éxito obtenido ayer

(Anónimo)

Ahora mire bien qué necesita para encontrar a alguien que lo anime, no alguien que lo este contrariando; alguien que crea que usted puede convertirse en alguien, ser alguien... y entonces, cuando lo logre, se sentirá animado para lograr una nueva meta.

La gente nos pregunta todo el tiempo, "¿Acaso no tienen todo lo que necesitan?" La vida no lo es todo acerca de las necesidades. Se trata acerca de crear nuevas necesidades, tomar deseos y cosas que se quieren y convertirlas en necesidades. El aspecto emocionante de disfrutar la vida es realmente vivirla a fondo, esforzándose al máximo para llegar lo más lejos posible, y después un poco más.

Cualquiera que sea su sueño hoy en día, para mantenerlo vibrante y emocionante, tiene que continuamente estar expandiéndose, expandiendo y estirando su sueño. No es alcanzar sus sueños lo que cuenta. Es perseguirlos, siempre perseguirlos. Usted sabe, si los alcanza, tiene entonces que tener unos nuevos. De manera que siempre tendrá que estar trabajando en sueños más grandes y mejores.

Tenemos que aprender a hacer esas pequeñas cosas que los demás no hacen. Estoy tratando de establecer tantas cosas como me sea posible para forzarme a moverme lo máximo posible. Mucha gente se siente cómoda con las cosas. Se vuelven complacientes. Desarrollan un estatus. El estatus es la peor enfermedad financiera en el mundo. Yo creo que el estatus es malo en la medida en que no tiene nada que ver con la vida que Dios ha dispuesto para nosotros. El estatus nos lleva al orgullo, y el orgullo "viene antes de una caída" Cuando usted adquiere estatus, está a punto de sucumbir. Se vuelve muy orgulloso para hacer lo que se necesita y muy orgulloso para seguir adelante.

Recuerdo la primera vez que perdí mi sueño. Y también recuerdo la segunda vez que casi pierdo mi sueño. Entiendo la importancia de tener un sueño constante, y un sueño listo para seguir al siguiente sueño.

Tenemos que tener sueños grandes que nos guíen con fuerza. Y cada vez que se sienta cómodo, estará en problemas. Será mejor que encuentre un sueño más grande o estará muerto. Jamás lograré tener todo lo que necesito. Siempre estaré necesitando más. Cada vez que consiga más, necesitare más. Porque hay gente allá afuera con las que usted y yo tenemos que hablar. Necesitamos ayudarlas sin importar nuestro estilo de vida.

El más triste sentimiento en la vida y aquello que envejece más rápido, es cuando no está logrando algo. Se siente cargando todo el tiempo con esa culpa. El secreto de la juventud es estar siempre ocupado y tener un nuevo sueño creciendo. Tiene que tener un sueño y después uno más. No me importa si tiene setenta o diecisiete años. Si tiene un aliento adentro, vívalo a plenitud. Hágalo con todas sus ganas.

¿Sabe usted cuándo empieza la pelea? Cuando la gente ya no es productiva. Cuando deja de producir, el conflicto se acerca. Empieza a salir y a decir lo preocupado que está acerca del dinero que está ganando alguien más, o preguntándose si ese tipo está haciendo esto, o haciendo aquello, en vez de poner su propio proyecto en marcha. Y usted sabe que no hace ninguna diferencia en dónde se encuentre financieramente en este momento en la medida en que sepa hacia adonde se dirige. Eso es todo lo que cuenta, saber a dónde se dirige.

Nunca busque los finales, yo siempre busco los comienzos. Nuevos comienzos. Si el proyecto es simplemente finalizar el domingo por la noche, entonces comience algo más grande el lunes por la mañana. Siempre tenemos que apuntar hacia más altas, más grandes y más gigantescas metas. Al apuntar hacia cosas grandes, aun nuestros accidentes y fracasos no nos apartarán de nuestro increíble éxito.

## Capítulo 6

# Una boca grande
# está llena de ideas pequeñas

Siempre habrá gente que quiera aprovecharse de usted. Siempre habrá algún tonto queriéndose pasar de listo, y habrá también alguien más que lo ame. Algunas veces pensará que aquel que lo ama es quien se quiere aprovechar de usted. Y también algunas veces pensará que quien sé está aprovechando de usted es quien lo ama. Pero tiene que entender la diferencia. Aquel que lo ama siempre está tratando de ayudarlo a multiplicar su sueño. Y aquel que usted a veces piensa que lo ama, tal vez siente pena por usted y quiere detenerlo. Esos son los que están equivocados. Cuando permita que las palabras de otros lo detengan, estas lo harán.

Desprecio a las personas que critican y subestiman las empresas de aquellos que han logrado subir a niveles más altos, incluso más alto que aquellos por quienes son criticados.

Tenemos que aprender a manejar el rechazo, sonreír y ser amables. Mostrar una sonrisa amable y pensar, "Te comerás tus palabras, idiota. No lo sabes. No sabes lo que me produce el rechazo. Odio perder."

El primer y grandioso mandamiento acerca de los críticos es: *No deje que lo atemoricen.* Charles Dodgson dijo, "Si limitas tus acciones en la vida, a cosas en las que nadie pueda encontrar

35

falta alguna, entonces no harás mucho." Nada con significado jamás se ha logrado sin controversia o sin ser criticado. Si ha de ser exitoso, se convertirá entonces en una persona controvertida. No será aceptado por todo el mundo. Todas las grandes ideas crean conflicto, batallas y guerras.

Es un hecho muy conocido entre los terapeutas y masajistas, que pueden sentir si una persona les esta transmitiendo energía positiva o negativa durante un masaje. Si están trabajando en una persona negativa, sienten que están perdiendo energía, y cuando están trabajando en una persona positiva, sienten energía positiva. Ahora, esto es interesante... Si quiere tener éxito en todas las cosas, la actitud es vital, más vital de lo que jamás haya imaginado. Creo en el poder de las semillas. Si plantamos semillas negativas; obtendremos una mala cosecha. Si plantamos semillas positivas, obtendremos una cosecha positiva.

¡El éxito es una actitud! Si la gente continúa contándole sus problemas, es que tienen un problema de actitud. Si tiene una buena actitud, superará cualquier problema. Vea, primera cosa, si ha de tener éxito, tiene que tener un GRAN sueño. Sueñe tan grande que haga de las colinas unas montañas. El problema es que la gente tiene como sueño una colina, y montañas de problemas, y lo que tiene que hacer es invertir eso. Tiene que tener una actitud tan grande como una montaña. Tiene que reducir los problemas al tamaño de las colinas. Tiene que encargarse de aquello que es importante primero. Tiene que tener dirección y saber a donde va. Le diré algo, o bien se prepara para recibir algo, o se prepara para no recibir nada.

¿Sabe usted quiénes son las personas con más prejuicios en el mundo? Sus amigos. Le dirán todo aquello malo acerca de usted. ¿Sabe qué? No necesita estar alrededor de ellos. "La entrada favorita de Satanás a su vida es generalmente a través de aquellos cercanos a usted" (Mike Murdock). Necesita estar alrededor de personas que piensen que usted es grandioso.

Si quiere ser exitoso más le vale que no pierda la fe. Si alguien trata de robarle su fe, aléjese de esa persona.

Dennis Wholey advirtió, "Esperar que el mundo lo trate justamente porque es una buena persona, es como esperar que un toro no lo ataque porque es vegetariano." Estoy de acuerdo con

Fred Allen cuando dijo, "Si las criticas tuvieran realmente el poder de dañar, la burla se habría extinguido hace rato." Los críticos al lanzar barro, están al mismo tiempo perdiendo terreno.

Temer a las críticas es el beso de la muerte a las puertas del logro. Aquellos que pueden, logran algo. Aquellos que no, critican. Generalmente puede determinar el calibre de un hombre al comprobar el número de opositores que se necesitan para desalentarlo. Aquellos que se quejan acerca de cómo rebota la pelota, son a menudo aquellos que la han soltado. Siempre podrá reconocer a un fracasado por la forma en que critica el éxito. Las mentes pequeñas son las primeras en criticar las grandes ideas. Si su cabeza sobresale de la multitud, espere más criticas que regalos. Si teme ser criticado, se morirá sin hacer nada. No se preocupe por aquel que esta tratando de rebajarlo; el sólo está tratando de ponerlo a su nivel. Un hombre exitoso es el que es capaz de construir unos cimientos sólidos con los ladrillos que le han sido arrojados. Si no fuera por aquellos que hacen las cosas, los críticos del mundo estarían pronto sin trabajo. Ame a sus enemigos, pero si realmente quiere verlos enojados, ignórelos completamente.

Cuando recién comencé a construir mi negocio, tuve que enfrentarme a todo tipo de rechazos, gente riéndose de mí y ridiculizándome. Decían, "¿Cómo puedes ser un ganador?" "Después de todo, te conocemos". Ve, lo más difícil para cualquiera, es darse cuenta de que para lograr el éxito, el primer paso que tiene que dar es pasar por encima de sus amigos, quienes estarán dejando trampas para que usted caiga en ellas. La mayoría de la gente le dirá que lo que está haciendo jamás funcionará, sea lo que sea. Adivine qué. Si ellos creen que no funciona, no funcionará para ellos. No existe una persona aquí, que si va a vivir una vida plena, no tenga que pasar por mucha crítica. Y lo más difícil de entender es que para atrapar este sueño, tendrá que enfrentarse al rechazo de aquellos que usted estima. Claro, ellos creyeron en todas esas historietas. Creyeron en el Mago de OZ, Santa Claus, en Pie Grande, ... pero no en USTED.

"Dime con quien andas y te diré quien eres". Estoy de acuerdo con ese viejo adagio, "Aquellos que se acuesten con perros, amanecerán con pulgas". Siempre es "mejor hacer del hombre débil su enemigo que su amigo" (Josh Billings). Aquellos que no respetan su sueño, tampoco respetarán sus convicciones.

La buena noticia es que el rechazo, es muchas veces aquello que le da la fuerza suficiente para ganar. Cuando se canse de oírles decir, ¿Quién se cree que es? Nunca lo logrará. Nunca sucederá para usted", es ahí cuando debe sonreír y alejarse diciendo, "Voy a hacerlos morder el polvo. Los haré comerse sus palabras."

Hay una cosa que siempre debe recordar, cualquiera que esta en la división, no está en la multiplicación. Vamos a tener que dividirnos de aquellos que están tratando de hacerlo con nosotros, ya que nosotros estamos metidos en la multiplicación. Siempre que se tiene división, nada bueno puede pasar. Él "nosotros" me hace a "Mí" más fuerte. De manera que invierta su tiempo con gente que está a favor suyo, no en su contra.

No hay nadie en el mundo que me pueda herir tanto como aquellos a los que amo. Los extraños no me molestan. Pero, ¿saben qué es lo más triste de las personas? Que los extraños los molestan más, que aquellos a los que más aman.

Fui a la casa de Johnny Williams seis meses después de que ingreso en nuestro negocio. Él comenzó trabajando con extraños y tuvo éxito. Después fue a la universidad, y en su primer mes como estudiante tuvo aun más éxito, de nuevo con extraños. Está bien. Johnny me pidió que fuera a las afueras de Chicago, a conocer a su grupo, en época de Navidad. De manera que Birdie y yo fuimos a verlo el día siguiente a la Navidad. Nos fuimos en el auto. Estábamos quebrados. Estábamos recién iniciando nuestro negocio, pero ya teníamos algún éxito.

Nunca olvidaré, hablando con su padre acerca del negocio en el patio trasero de su casa. De pronto pasa este tipo. Nunca lo olvidare, vestido con ropa para hacer ejercicio, y dice, "Hola Johnny, ¿cómo te ha ido?" Y yo estoy ahí con mi boca bien abierta diciendo, "Ese es Paul Harvey." "Si, te dije que vivía al otro lado de la calle. Al otro lado de la calle vive el dueño de Motorola," me recordó Johnny. Bueno, él vivía en una ciudad que jamás había oído. Él vivía en una pequeña comunidad en las afueras de Chicago, la cual era una de las de mayor riqueza en esa época, River Forest en Illinois. Sus amigos eran todos millonarios. Su cuñado estaba allí, y era un tipo presumido. El padre de Johnny me lo presentó, y nos sentamos en la sala. Este tipo me continuaba martillando hasta la muerte con sus opiniones. Sin embargo, con mucha postura lo traté con gran respeto. Estaba tratando de ser amable con el tipo. Luego dijo, "Bueno, tu no tienes la educación, tu no tienes esto." Y yo dije, "¿Pero sabes qué? Voy a continuar luchando y lo tendré. Allí estaré. Tendré un negocio muy grande." Y él continuaba con lo mismo, una y otra vez. "Yo soy un doctor, hijo. Tengo una educación. No necesito su negocio." Y yo le respondí con confianza, "Esta es una oportunidad para multiplicar."

Birdie y yo dejamos la casa y regresamos a nuestro hotel. Johnny nos acompañó y no podía creer que nos estuviéramos quedando en ese tugurio. Él dijo, "Bueno, ¿Es su negocio exitoso?" Y yo le respondí, "Johnny, no queremos invertir una cantidad de dinero en rentar un cuarto. Estamos aquí sólo por un par de días. Prefiero comprar algo para mi casa que gastarme el dinero en habitaciones de hotel. Necesitamos una cama y un baño. No estamos comprando este lugar, sólo lo estamos rentando." Entonces Johnny dijo, "Mi padre ingresará al negocio." Yo dije, "¿qué?" Él dijo, "Le encantó la manera en que trataste a ese cuñado mío. Le encanto tu posición. De manera que sólo quiere ingresar y apoyarte." Entonces cada persona que su padre y su madre invitaban, se presentaba. Recuerdo a su madre diciendo, "vamos a tener una política." Y nunca olvidare esto. Ella dijo, "Cualquiera de nuestros amigos, cuando los invitemos a las reuniones, o bien ingresan al negocio, o los sacamos de nuestra lista de amistades." Yo pensaba, "Nunca he escuchado esto antes." Todo el mundo me esta preguntando "¿Qué pensarán mis amigos?" Pero verán, empecé a entender el poder del pensamiento de riqueza. No les importaba lo que pensaran los demás. Los hombres grandes no se ríen de las grandes ideas.

En ese momento pensé, "vuelvo a Rome, Nueva York, y todos los muchachos con los que crecí se están riendo de mí y piensan que soy estúpido. Ahora voy a River Forest, Illinois, y cada uno de estos multimillonarios  piensa que soy un genio." Mis amigos quebrados piensan que soy un estúpido, y gente rica asegura que soy un genio. ¿Cuál alternativa voy a escoger? Ven, ¿A quién dejarán que ejerza influencia sobre usted? ¿Quiere que gente exitosa lo apoye, y lo ayude a tener el estilo de vida que ellos tienen? ¿O acaso quiere que gente quebrada le enseñe cómo estar quebrado? La Biblia dice, "Los conocerás por sus frutos." Si no hay ningún fruto ahí, ellos son el fruto.

No sé de usted, pero un ganador acepta retos. Él vive de un sueño y va por los retos. Cuando alguien nos dice que no podemos hacerlo, algunos ganadores son amables, tipos callados, y ni siquiera se meten en esa pelea ni argumentan. Simplemente continúan moviéndose en la vida. Ve, es la manera como maneja las cosas lo que hace la diferencia.

Cuando usted estaba en el colegio y se le acercaba un grandulón y lo empujaba o le daba un puño, ¿lloraba?  No importaba lo mucho que doliera. Sabía que si lloraba, no me dejaría nunca en paz, y me perseguiría por el resto de mi vida. Si deja que estos matones lo sacudan verbalmente, está muerto. Cada vez que alguien maltrata a otro, trato de ayudar, trato de apoyarlos y fortalecerlos. Pero si él renuncia, le dejo saber de una manera amable, que ha traicionado a su familia y a sus hijos. Ahora, es su decisión, pero para mí es mi única oportunidad y es su única oportunidad de ser el héroe que puede ser. Ahora, yo amo a la gente sin importar si se rinden o continúan avanzando. No va a hacer ninguna diferencia para mí, pero si hará una diferencia en la vida de ellos.

Todos los ganadores entienden que de vez en cuando somos maltratados, pero asimilamos los golpes y seguimos adelante. Todo los que hemos construido un negocio, descubrimos que entre más grande los construimos, mas obstáculos tenemos que superar. Fuimos a un lugar nuevo, y continuamos avanzando. No vivimos de las desavenencias del pasado; vivimos de los sueños del futuro.

Infortunadamente, la mayoría de gente regresará a sus empleos, de nuevo al trabajo. De nuevo a lidiar con gente del promedio. Aquellos que se han rendido. Aquellos que tienen todas las respuestas pero nada de éxito. Aquellos con la boca sabia y el cerebro lento.

El noventa y nueve por ciento de la gente siempre me ha dicho lo que no podía hacer. Muy pocos, si alguien alguna vez me lo dijo, me afirmaron que lo lograría. Aun, algunos de los que pensaron que tal vez tendría éxito, hicieron afirmaciones como, "Bueno Dexter, con tu vocabulario tan limitado, tu poca educación, ¿quién querrá siquiera conocerte cuando lo logres?"

Los ganadores se reconocen entre sí. Los perdedores nunca reconocen a los ganadores; siempre lo identificarán como un perdedor. Dirán, "Eres un perdedor. Nunca lo lograrás." Tiene entonces que mirarlos y pensar, "yo no los veo como ganadores. No son lo que yo quisiera ser. De manera que si piensan que soy un perdedor, es porque se han estado mirando mucho en el espejo y creen que soy como ellos."

He notado que la gente que alcanza grandes éxitos, no andan por ahí diciéndole a todo el mundo, "Eres un perdedor." La gente que alcanza grandes éxitos, sé que siempre andan diciendo, "Puedes hacerlo. Oye, tu puedes hacerlo."

Vea, a lo largo del camino, cuando empiece a lograr más, alguien tratará de robarle su sueño, y le dirá aquello que está mal. Usted sabe, tengo este libro color púrpura. Este libro es mi guía de negocios, y se llama la Santa Biblia. Dice allí que Dios odia la pereza. Dios habla acerca de desempeño (usted sabe, frutos y trabajo). Ahora, ¿a quién debo creerle, a Dios o a aquellos que tratan de inventarse las nuevas reglas? En algún momento en el camino tendrán que tomar una decisión. Si quiero arreglármelas yo mismo, entonces debo volver a quién me fabricó para averiguar como lo hago.

Recuerde esto, si le teme a la crítica, se morirá sin hacer nada. Si quiere un lugar cerca del sol, tendrá que soportar algunas ampollas y alguno que otro poco de polvo arrojado a su cara. La crítica es un cumplido cuando sabe que lo que está haciendo, es lo correcto.

No existe ningún camino fácil que lleve al éxito. Hay mucha gente buscando la vía fácil hacia el éxito. El éxito verdadero se construye en la medida en que se va fortaleciendo. ¿Entiende eso? Si alguien que se está riendo de usted, lo va a detener en lograr su sueño, ¿qué lo va a detener cuando intente hacer cualquier otra cosa? Siempre habrá alguien que se ría de usted. ¡Y qué con eso! Vea, he aprendido que hay que dejarlos reír porque yo voy a ganar.

## Capítulo 7

# Únicamente en América

Lo que realmente significa el sistema de *Libre Empresa*, es que, entre más empresario sea, más libre será. Lo que necesitamos es más énfasis en *libre,* muchos más que en *empresa.*

La mayoría de la gente no entiende lo que significa libre empresa, y usted tiene que aprender a aceptar la libre empresa para ser un líder. En América encontramos dos tipos de riqueza. Tenemos la riqueza creada por el trabajo de unos tipos que son conservadores. Y tenemos un poco de tipos que son la cuarta y quinta generación de riqueza. Algunos de ellos son los máximos líderes del movimiento socialista. Se sienten culpables de ser ricos porque no entienden que alguien más tuvo que pagar el precio por ellos. No importa cómo lo vea. Sólo hay dos grupos en América, los productores y los no productores. Pero gracias a Dios por los "productores", porque la esperanza de América y del mundo es el sistema de la libre empresa.

Inmediatamente después de que Ronald Reagan fue elegido presidente, un par de personas vinieron a verme y me dijeron, "Dexter, usted ha trabajado muy duro en la campaña del Señor Reagan. Le debemos algo. ¿Consideraría usted la próxima embajada disponible?" Eso significaba irme a otro país a desempeñarme como un muy distinguido embajador de

43

los Estados Unidos de América. Yo dije, "No he hecho nada malo. ¿Por qué tengo que abandonar los Estados Unidos? Esa no es ninguna recompensa." Creo en los Estados Unidos. Es aquí en donde está mi esperanza.

Mucha gente en Los Estados Unidos piensa que alguien les debe algo por el nivel de vida que aquí se tiene. En vez de eso, cada Americano le debe a toda la gente que hizo de los Estados Unidos lo que es hoy en día. No apreciamos lo que tenemos, de manera que ni siquiera nos acercamos a utilizar un poco nuestro potencial. Somos una nación bendecida, pero cuando estamos siempre echándole la culpa a alguien más, no nos damos cuenta de nuestras propias bendiciones.

Si estudia la historia de la segunda guerra mundial, y estudia el papel desempeñado por los Estados Unidos, ¿Qué fue lo que hicimos? Después de derrotar a nuestros enemigos, fuimos y los ayudamos a reconstruir todo. Les enseñamos el sistema de la libre empresa. Les enseñamos la forma en que producíamos, la manera como planeábamos hacia el futuro. Les enseñamos todas las ventajas. Fuimos los únicos que regresamos y los ayudamos a construir un mejor lugar para vivir. Teníamos la opción de una de dos cosas: derrotarlos y alejarnos así no más, hacernos odiar de ellos, tratar de reconstruir las cosas y tomar represalias, o ir a enseñarles como tener el estilo de vida que tenemos. Los Estados Unidos tiene el mejor estilo de vida que cualquier otro país del mundo.

Verá, sólo en los Estados Unidos, los hombres y mujeres que tienen los más grandes sueños y trabajan más duro que nadie, creen que pueden llegar a ser ricos. Dios hizo las reglas. Dios es un libre empresario. Los únicos países que han crecido y continúan creciendo, son aquellos que creen y practican la libre empresa.

Trabajamos para crear niveles de logro y de moral para nosotros mismos, para probar que somos alguien. Cuando tomamos y creamos toda clase de igualdades, hemos quitado todos los incentivos en la vida, y entonces todos nos volveremos unos "nadie". Todos serán unos "nadies". Cuando luchamos por la igualdad, jamás podremos alcanzarla, porque Dios jamás la creo. Todo lo que hacemos es crear destrucción. Cuando le da a un hombre una posición pensando en la igualdad, le está quitando a ese hombre sus derechos en cuanto raza, religión, o cualquier cosa que haya logrado por sus propios méritos. Yo creo en darle a la gente que lo necesita, una oportunidad, no una limosna.

Es normal ver a muchachos pobres, que se cansan de ser pobres, que crecieron sin tener nada diciendo, "Voy a cambiar esto. No tengo que vivir así toda mi vida. Voy a construir mi propio negocio. Lo voy a hacer muy grande. Voy a tener éxito." Las personas que recién se enriquecen, generalmente vienen de ser muy pobres. Y aquellos que nunca se convierten en ricos, son aquellos que mamá y papá hicieron todo por ellos, y nunca les hicieron pagar el precio por su propio desempeño. Es por eso que tiene que construir su sistema de libre empresa. Es por eso mismo que construye su riqueza. Es por eso que tiene su estilo de vida. Está construyendo su propio sueño para que algún día cuando su jefe diga, "No quiero que haga esta cosa", usted le pueda decir, "Hasta luego". "No necesito un trabajo."

Cada vez que usted obtiene algo sin hacer nada, está haciendo que alguien sea menos que algo. ¿Entiende eso? Cada vez que toma de los ricos para dárselo a los pobres, está haciendo que los pobres continúen siendo pobres. Les está quitando el incentivo de ser ricos. Entre más les dé para su supervivencia, menos razón tienen para trabajar. No importa si es usted el Gobierno o un pariente.

La libre empresa se trata de llevar a todos hasta el nivel más alto posible para cada uno de ellos. Pero lo primero que debe hacer es elevar su pensamiento y elevar su sueño y saber que son ellos los que tienen que sobresalir por sí mismos. Y eso para muchos de nosotros, es algo muy difícil.

Solamente en los Estados Unidos, un tipo que tartamudeaba, escasamente graduado de secundaria, pudo jamás imaginarse que sería solicitado para hablar ante miles de personas y entrevistarse con presidentes. Verá, es sólo en los Estados Unidos en donde un padre de veinticuatro años puede invertir menos de cien dólares para comenzar su propio negocio, y ser capaz de aprender y ganar al mismo tiempo. El compromiso con el trabajo y el compromiso con el ocio traen resultados diferentes. Nunca en la historia de los Estados Unidos hemos necesitado un nuevo compromiso con la libre empresa más de lo que lo necesitamos ahora.

Rich DeVos solía contar siempre una historia acerca de un muchacho joven del cual todos siempre estaban preocupados porque llego al año, a los dos años, a los tres años, cuatro años, cinco años, y nunca pronunció una palabra. No se le oyó decir papá o mamá, nada. A los seis años, su mamá le sirvió el desayuno. El niño tomó su chocolate caliente. "¡OH! Esta terrible" Sus padres lo contemplaron aterrados. "Dios mío. Sus primeras palabras y es una oración completa. Sí podías hablar, ¿por qué te tardaste tanto en decir algo?" "Todo había estado bien hasta ahora." Las personas que se merecen un mejor estilo de vida son aquellas que trabajan. ¿Entiende?

¿Sabe cuál es la mejor manera de enseñarle a alguien como resolver sus problemas? Es resolviendo sus propios problemas. Entre más problemas tenga, más problemas resolverá. Entre más experiencia adquiera, más fácil será ayudar a otras personas a superar sus problemas. Con meterse la mano al bolsillo y sacar dinero diciendo, "bueno amigos míos, he aquí algún dinero; esto resolverá sus problemas", nunca será la respuesta.

La respuesta es, "Tengo algún dinero que me he ganado y me ha ayudado a resolver mis problemas. Ahora, déjeme mostrarle como ganar algún dinero para que pueda resolver sus problemas también."

Mi trabajo es transmitirle el conocimiento , de manera que pueda pensar por sí mismo y tomar sus propias decisiones. Para ser franco con usted, he sido rico y he sido pobre. Prefiero ser rico. ¿Y sabe qué? Quiero que todo el mundo en los Estados Unidos tenga la oportunidad de ser rico. Es volviéndose rico como ayuda a la economía. Cuando se vuelve rico, puede que necesite a alguien que vaya y haga las compras por usted. Gente para hacer esto y gente para hacer aquello. Entre más éxito tenga la gente, más persona contratarán para hacer otras cosas que antes hacían ellos mismos. De manera que la verdadera meta en Estados Unidos debería ser que tuviéramos mas gente volviéndose más rica que nunca en la historia de este país, porque así darían empleo a mas gente.

Entre más dinero gane, mejor puedo vivir, mejor estilo de vida tendrán mis hijos, mas querrán ellos trabajar, y se comprometerán aun más con ellos mismos a tener un futuro mejor que el de sus padres, ya que muchos muchachos siempre están queriendo superar a sus padres. La esperanza del mundo es un sistema de libre empresa.

## Capítulo 8

# Los ganadores piensan lo mismo

Cuando leo libros en donde describen gente que ha acu-
mulado grandes fortunas, normalmente estoy de acuerdo con
casi todo lo que dicen. Pero es asombroso cuántas veces encuentro a los perdedores en desacuerdo conmigo, y con lo
que estos libros dicen. Pero entiendo por qué. Los perdedores piensan diferente a los ganadores.

He pasado por todo lo que significa ser un ganador, y también he sido un perdedor. ¿Cuántos de ustedes han tenido que
cambiar su manera de pensar? También yo tuve que cambiar
mi manera de pensar acerca de muchas cosas en mi travesía,
de ser un perdedor a ser un ganador. Cada año trato de pensar mejor que el año anterior. Aun hoy en día hacemos cosas
equivocadas. Esto le demuestra a los demás que no somos
perfectos ni únicos, y que pueden alcanzar las mismas cosas
que nosotros tenemos hoy en día.

Muchas veces la gente no entiende lo mucho que hay dentro de ellos, y cómo todos necesitamos de alguien para abrir
la cerradura de la puerta que lleva a nuestros corazones, de
manera que podamos deshacernos de aquello que nos ago-
bia. Me encanta ver niños pequeños; siempre hablo con ellos,
les digo lo lindos y lo especiales que son. Todavía no han sido
expuestos a toda la basura que hay por ahí. Ellos le sonríen a

uno. Veo a cualquier niña pequeña y me siento ahí y le guiño un ojo esperando la misma respuesta. Me refiero a que es algo especial, ¿no es cierto? A veces los niños son los mejores ganadores de los cuales podemos aprender algo. Tenemos que tener una actitud similar a la que tienen los jóvenes. El éxito es una actitud.

Usted puede estar alrededor de los ganadores sin obtener dividendos. Los ganadores piensan igual. Si quiere ser exitoso, entonces tiene que aprender a ser un buen pensador, uno que piense correctamente. El diez por ciento de las personas ve las cosas de una manera, y el noventa por ciento restante las ve diferente. Si escucha al noventa por ciento, entonces nunca podrá pertenecer a ese grupo privilegiado del diez por ciento.

La más grandiosa educación aparte del mundo de Dios puede encontrarse en la historia de aquellos que han tenido éxito, lo que han tenido que vivir, y lo que han tenido que superar. Vaya y escuche a los que están teniendo éxito en el campo en el cual usted quiere estar. Yo tuve que pasar por ver mi negocio caerse y tuve que reconstruirlo de nuevo. Y fue entonces cuando encontré *La Magia de Pensar en Grande*, *La Magia de Creer*, *Acres de Diamantes*, y *Como Ser Rico* de J. Paul Getty. Leí estos libros y dije, "Esto no es lo que el mundo me está diciendo, pero es lo que necesito saber. Necesito saber cómo es que piensan los ganadores, no cómo lo hace la gente del promedio." Me están ayudando al hacerme entender algo acerca de mí mismo y me están facultando. Si, héroes, somos gente común y corriente, y no sabremos que tan lejos podemos llegar. De manera que Birdie y yo escogimos nuestros héroes. J. Paul Getty, W. Clement Stone, Moisés y Jesús, son algunos de mis héroes.

Aquellos que lo pueden ayudar no van a hacerlo si no pone de su parte. ¿Acaso vendrá un maestro a ayudarlo gratis si le asignan una tarea y usted no la hace? Usted no está pasando. No esta poniendo de su parte.

Si va a construir su propio negocio, tiene que expandir su pensamiento. Necesita leer libros que lo hagan pensar en grande. ¿Cuántos libros? No lo sé. ¿Cuántas cintas? No lo sé. Todos nosotros o aprendemos de la experiencia de los demás, o tenemos que hacerlo de la nuestra propia.

Birdie y yo llevamos treinta y ocho años ayudando a la gente a cambiar su vida. Pero hemos encontrado que en el momento en que se enfocan en un área diferente a la que se les ha enseñado, viene entonces la confusión. De manera que escoja a sus mentores, y escójalos bien; busque a aquellos que han tenido éxito a largo plazo. Existe una gran diferencia entre el éxito en el largo plazo y algo confuso e inmediato. Si está planeando ganar, aprenda del mejor. Si lo que planea es perder, entonces aprenda del resto. Lo sabrá en el momento en que su cabeza sobresalga de la multitud y reciba todos los tomates. Aprenda a amar el jugo de tomate.

¿No es gracioso cómo la gente exitosa se copia entre sí, y comienzan a pensar lo mismo acerca de los mismos temas? Lo mismo pasa con los perdedores. Pero cuando se detiene a pensar acerca de esto, ¿cómo es que un tipo como Will Rogers ha sido copiado muchas veces y a sus vecinos ni siquiera un poco? Hay muchos ganadores en este mundo, pero hay muchos más perdedores. Si se ha de convertir en un ganador, es mejor que se dé cuenta de que entrará a ser parte de un grupo élite. No estará siendo parte de las masas.

Algunas de las personas más grandiosas que han vivido en este mundo podrán dejar de existir pero no dejarán de ser historia, porque hayan cometido errores. Algunas de las personas que perecieran tener el menor potencial crecen en la vida y pasan desapercibidas para la historia, porque tomaron las decisiones correctas. Tomaron la decisión de pagar el precio y pensar como ganadores sin importar las consecuencias.

Tiene que aceptar el hecho de que tiene habilidades de genio. Su mente es un músculo, que dará como resultado aquello que ponga dentro ella. Si le pone basura, entonces obtendrá basura. Si se rodea de gente con ingenio, entonces estará sembrando semillas de genialidad en su mente. Por años he tenido gente a mí alrededor queriendo frotar mi brazo para obtener cosas de mí. Yo les digo, "No todo lo que obtendrás serán cosas agradables" Usted obtendrá las semillas de genialidad rodeándose de gente súper exitosa. No quiero un pensamiento pobre. Quiero un pensamiento genial.

Si ha de ser exitoso, entonces tiene que empezar a relacionarse con gente que es exitosa. Tendrá que desechar aquello que no le guste de ellos, y encontrará cosas que si le gustarán. Tendrá que decir, "Son como yo. Yo soy como ellos. Entonces podré hacerlo." Tantas y tantas veces hoy en día escuchamos a los perdedores en vez de hacerlo con los ganadores. Pueden haber como diez mil perdedores allá afuera diciéndole que las cosas no van a funcionar. Escuche al ganador que dice, "Puede ser todo aquello que escoja ser." La Biblia dice, "Lo que un hombre cree en su corazón, eso será"

Tengo una cantidad de amigos en los libros. Los autores de los libros que leo dicen, "Tu puedes hacerlo." Infortunadamente, la mayoría de mis amigos me dijeron que no lo lograría. Aun los amo, pero nunca acepte ese prejuicio en contra mía. No puede aceptar eso. Usted tiene que tener los suficientes prejuicios también para decir que tal vez no es lo suficientemente bueno todavía, pero que puede llegar a ser mucho mejor. Recuerde, cada ganador fue juzgado alguna vez como perdedor por aquellos que pensaron que estaban mejor calificados, sus amigos. No son exploradores talentosos. Solamente los ganadores pueden identificar a uno de su clase.

Cuando asistí a la inauguración presidencial en 1980, muchas personas me dijeron que uno no asistía a la inauguración presidencial con botas de vaquero. Allí llegué. Reagan las tenía puestas. De hecho, una cantidad de Jets privados estaban llegando con un puñado de tipos que las usaban. La gente del promedio no sabe lo que saben los ganadores. No entienden lo que es aceptable.

Cuando está con ganadores, obtiene sueños. Cuando está con perdedores, obtiene arrepentimientos. ¿Con quién quiere estar? ¿Adónde quiere ir? Tiene que ser un luchador. Si lo que quiere es aceptación, será aceptado por los perdedores y nunca por los ganadores. Los ganadores son aquellos que pagan el precio. Los ganadores son aquellos que la gente señala todo el tiempo.

"No quiero vivir la vida que mi padre y mi madre vivieron." "Quiero cambiar eso." ¿Cuántos de ustedes han dicho eso? Sé que yo lo hice. No hace ninguna diferencia si está hablando con un dentista, un doctor, un abogado, o cualquier otro profesional. La mayoría de gente que es exitosa, son los primeros en su familia. Han cambiado el curso de sus generaciones. En algún momento de su vida, ese muchacho dijo, "Quiero ser como esas personas. Soportaré el ridículo y aceptaré las burlas. Pero quiero llegar allí. Voy a creer más en mis sueños que en mis rendiciones porque mis sueños se convertirán en mis rendiciones." Y así encontraron felicidad.

Los ganadores son siempre parte de la respuesta. El perdedor es siempre parte del problema. El perdedor siempre tiene una excusa. El ganador dice, "Déjame hacerlo por ti." El perdedor dice, "Ese no es mi trabajo." El ganador ve una respuesta para cada problema. El perdedor ve un problema para cada respuesta. Su alternativa es decidir, ¿Cuál de los dos quiere ser?

Tiene que creer más que el resto del mundo, tiene que tener una imagen de la realidad de su futuro. Las cosas no pasan, alguien las hace pasar. Mientras vamos por nuestro sueño noche tras noche, reto tras reto, escuchamos a la gente haciendo excusas. Aprendimos hace tiempo a aceptar a la gente a pesar de sus excusas, pero también a rechazar sus excusas. Si las aceptamos, entonces tal vez dejemos que nos afecten a nosotros también. Tenemos que darnos cuenta de que existen dos clases de personas, los ganadores y los perdedores.

La mayoría de la gente rica fue pobre alguna vez y no les gustó. Nosotros fuimos pobres alguna vez, pero hicimos algo para salir de allí. Aquellos que están esperando que alguien más haga algo por ellos, jamás lo lograrán. Simplemente no pasará. La gente rica no hará ricos a los pobres. Sin embargo, en los Estados Unidos de América, la gente que vive de la caridad de los demás, está en los más altos porcentajes de nivel de vida en el mundo. No tenemos pobreza en nuestro país. Tenemos pensamiento pobre.

Lo que ha pasado en la vida de Birdie y en la mía puede pasarle a usted, o puede seguir a los perdedores. Los ganadores se mantienen juntos. Me refiero a que, conozco ganadores, y lo siguiente que descubro es que tenemos un vínculo o algo en común porque transitamos el mismo camino. No hay diferencia, bien sea que hayamos superado diferentes problemas o retos, lo que al final resulta es que superamos todo para sobresalir en la cima.

Déjese rodear por la "magia." Verá, hay gente que tiene la energía y tiene los contactos pero no tienen la *magia*. No encontrará la *magia* en todas las personas. Debe trabajar muy de cerca con alguien que posea esa *magia* que es la que hace la diferencia. Ahora, ¿Cuánta *magia* tiene? ¿Acaso no tiene la *magia*? A no ser que se asocie con alguien que la tenga, es difícil obtenerla por sí mismo.

## Capítulo 9

# El trabajo duro es la levadura que hace crecer la masa

Las ideas son cosas graciosas; no trabajan a no ser que usted lo haga. La promoción se logra con el movimiento. Ninguna regla del éxito funcionará si usted no trabaja. ¿Tiene el suficiente tiempo como para malgastarlo? ¿Qué tal en vez de malgastarlo, usarlo para trabajar? "Cuidado con el hombre que no traduce sus palabras en hechos" (Theodore Roosvelt). Saber sin hacer es como arar sin sembrar. La ambición nunca llegará a ningún lado si no se asocia con el trabajo.

Mucha gente, mucho mejor que yo renunció a construir su propio negocio. Querían ser poseedores pero no trabajadores. Muy pocos sueños se hacen realidad por sí mismos. La prueba de una persona recae sobre la acción. Nunca he escuchado a alguien que busca algo grande, esperando mientras está ahí sentado. Aun un mosquito no recibe una palmada en la espalda hasta que no ha comenzado a trabajar. Un famoso poema de un autor desconocido dice, "Sentado firmemente sólo deseando, no hace a una persona grandiosa, el buen Señor envía la pesca, pero tiene que cavar para encontrar la carnada" La más pequeña obra que se haga es mejor que la más grande intención. La historia se escribe cuando usted ejecuta las acciones correctas. La acción es el fruto apropiado del conocimiento. Tener una idea es como sentarse en un clavo; lo debería hacer saltar e ir a hacer algo.

"Ve y observa a la hormiga; mira lo que hace, y sé sabio: sin tener guía, indicación o reglas, se provee de carne en el verano y acumula su provisión en la cosecha" (Proverbios 6:6-8). Nada enseña mejor que esta hormiga, aun cuando no dice nada. Se ganará el respeto sólo con la acción; la inactividad genera irrespeto.

Algunas personas encuentran la vida como un sueño vacío porque no están contribuyendo a ella con nada. Cada vez que un hombre expresa una idea, encuentra a diez a quienes ya se les había ocurrido antes, pero ellos sólo la pensaron. Mark Twain dijo, "El trueno es bueno, es impresionante, pero es el rayo el que hace el trabajo." El propósito de este libro no es que el lector se vaya diciendo, "Que libro tan interesante", sino más bien, "Voy a hacer alguna cosa."

Tiene la más grandiosa oportunidad de perseguir sus sueños, pero tiene que trabajar. Y le diré algo. Cualquiera que le diga que no tiene que trabajar para obtener el éxito está mintiendo. Las cosas no pasan simplemente porque sí; usted hace que pasen. Yo trabajo duro y amo mi trabajo.

No se corre de una pelea porque el grandulón lo perseguirá. Cualquiera que haya crecido tuvo algunos grandulones molestando. ¿Cierto? No vamos buscando peleas. Nos sentiremos contentos si pasan dos, tres años sin una pelea. Sólo se podrá estar tranquilo hasta que alguien venga a molestarlo como uno de esos grandulones. Entonces lo llevarán hasta una esquina. Tendrá que tomar una decisión. Podrá correr en ese momento, pero será perseguido de por vida.

Bájese de la tribuna y métase en el campo de juego. No podrá manejar su destino basado sólo en teoría... se requiere de TRABAJO. Ninguno de los secretos del éxito funcionará a menos que trabaje. Usted fue hecho para la acción. El éxito es simplemente tomar buenas ideas y ponerlas a trabajar.

La prosperidad es algo que Dios le da a su gente después de que ha trabajado, se ha esforzado, sobrevivido y se ha vuelto lo suficientemente fuerte como para merecerla. No se trata simplemente de si usted ama a Dios o le rinde culto.

Recuerde lo que Él dijo, "La fe sin trabajo es muerte." Es un asunto de si ha hecho algo, y le ha servido lo suficiente como para estar en una posición con autoridad. Es por eso que tiene que arrodillarse y escarbar con las gallinas para ser merecedor de volar con las águilas. Busque en la Biblia. Dígame quien tuvo un camino fácil.

Le diré una cosa segura. Si no está obteniendo el éxito que quiere, tiene que aprender a trabajar más duro y luego a trabajar más inteligentemente. Y si no ha trabajado lo suficientemente duro, entonces no podrá aprender a trabajar mas inteligentemente. Porque se requiere de fracasar el número suficiente de veces para salir allá afuera y decir, "tengo que arreglar esto para no fracasar tanto." Si quiere mas, vuélvase mejor. La única manera en que se puede volver mejor es cambiando lo que hay en su cabeza. Y cuando lo haga, entonces más adelante, vendrá el dinero. Estará haciendo una inversión en usted mismo.

Si quiere un negocio pequeño, entonces trátelo como un negocio pequeño. Inviértale poco tiempo. Inviértale poco dinero. Pero si quiere un negocio grande, entonces trátelo como tal. Inviértale mucho tiempo, trabajo duro y ponga dinero en él. Entonces tendrá un gran negocio.

"Luchar por el éxito sin trabajar duro es como tratar de cosechar lo que no se ha sembrado" (David Bly). Lo que usted crea no cuenta mucho a no ser que le haga despertarse de su sueño y empezar a trabajar. No sirve simplemente soñar con lo que se puede llegar a convertir. El único momento en que una persona perezosa puede llegar a tener éxito, es cuando trata de no hacer nada. Un famoso dicho es el mejor explicando esto: "La pereza viaja tan despacio, que la pobreza pronto la alcanzará."

Cuando se es perezoso tiene que trabajar el doble de duro. Siempre será un ensayo para la persona que siempre estará buscando obtener algo sin esfuerzo. Algunos dicen que *nada es imposible*, y hay algunos aun no haciendo *nada* hoy en día.

Si alguna vez mira a su alrededor, escuchará a mucha gente diciéndole que está trabajando demasiado duro. Que está demasiado involucrado. Que está demasiado comprometido. Ahora, pregúntenos a todos nosotros ¿cuando bajaremos el ritmo y cuando nos cansaremos? Todo lo que tenemos que hacer es observar a los perdedores y darnos cuenta que no queremos hacerlo. No queremos estar en donde ellos están, en lo financiero, en lo físico o en lo mental. He tenido gente más joven diciéndome que no quisieran hacer lo que hago, porque simplemente quieren las recompensas. No podrían disfrutar de las recompensas si no están haciendo el trabajo; de otro modo, es un precio muy alto por el viaje hacia la riqueza. Pero cuando se hace el trabajo, se merecen las recompensas.

> Hay un hombre en el mundo que nunca se desanima,
> en donde sea que tenga posibilidades de errar;
> recibe la mano alegre en las ciudades populosas,
> o allá en donde los granjeros hacen heno;
> es recibido con placer en desiertos de arena,
> y en lo profundo de los bosques;
> donde quiera que vaya siempre
> hay una mano dando la bienvenida,
> es el hombre que distribuye las provisiones
>
> (Walt Whitman)

Hace algunos años, estaba en la Casa Blanca y Ronal Reagan mencionó algo. Era una invitación especial a la Casa Blanca. Nos llegó una pequeña pero muy elegante tarjeta de invitación. El Presidente y su esposa nos querían allá a las 5:00 p.m. Pienso que hizo una afirmación grandiosa. Él dijo, "Siempre me están acusando de apoyar a los ricos. Pero no lo hago." Y agregó, "Simplemente estoy tratando dejar la puerta de las oportunidades abierta, de manera que la gente del futuro de nuestro país puedan tener su sueño y convertirse también en ricos."

No me diga lo que no puede hacer y que le falta confianza en sí mismo. No lo ha tratado de hacer todavía, y eventualmente se dará cuenta de que es uno de los mejores. ¿Sabe como convertirse en uno de los mejores para hacer algo? Convénzase a sí mismo de que será uno de los mejores. Trabaje en ello, juegue a serlo, disfrútelo y comprométase con ello.

Escoja sus metas y trabaje como si fuera imposible fracasar. ¿Me escuchó? No trabaje como si fuera imposible tener éxito. Trabaje como si fuera imposible fracasar. Su destino es su decisión. No podemos controlar todo, pero podemos controlar nuestra actividad que a su vez controla nuestros resultados. De manera que vaya por algo grande. Trabaje como si fuera imposible fracasar y tendrá éxito, más allá de lo que se ha imaginado. No ponga limitaciones en su sueño o en su futuro.

Si quiere que sus hijos estén orgullosos de usted, vaya y supérese usted mismo. Mejorar es la respuesta. Tiene que superarse para ser alguien en la vida, y la persona más importante en la cual debe convertirse es en usted mismo. No me importa lo que piense cualquiera otro acerca de mí. Los amare a pesar de su estupidez. Lo importante es que soy un ganador, y lo sé. Lo importante es que usted también es un ganador, pero, ¿Lo sabe? Si lo sabe, entonces va a vivir para serlo, y va a mejorar.

Cuando aprende a respetar a las personas, las puertas se abrirán para establecer una relación de amistad con esas personas. Es por eso que he conocido personalmente a los últimos cinco presidentes de los Estados Unidos. Nada mal para el pequeño muchacho de Rome, Nueva York, que no tiene gran vocabulario y que con esfuerzo se graduó de la secundaria. El desempeño y la superación es lo que hace la diferencia.

Caramba, cuando se trabaja se siente bien. Cuando no se hace nada, no se siente bien. Soy un hombre que saldrá allá afuera y se superará a pesar de cualquier obstáculo que la vida me ponga enfrente. No voy a quejarme. Seguiré siendo un hombre con el cual valga la pena casarse. No soy de los que va a sentarse a llorar y a tener a una hermosa mujer preguntándose por qué se caso conmigo. Voy a superarme para comprarle muchos regalos a esa hermosa mujer. Ella se los merece porque es especial. Y saben, estaba convencido de eso cuando estábamos saliendo como novios, y también cuando nos casamos.

No olvide las palabras de Hamilton Holt: "Nada que valga la pena viene fácil. La mitad de los esfuerzos no producen la mitad de los resultados. Simplemente no producen resultados. Trabajo, trabajo duro y continuo es la única manera de lograr un resultado que perdure."

# Capítulo 10

# El pasado es el pasado

Cierre la puerta a su pasado. "El pasado debe ser un trampolín, no una hamaca." Dijo Edmund Burke. Nunca podrá planear el futuro basado en el pasado. ¿Ha notado alguna vez que aquellos que ven el pasado como algo grande, no están haciendo mucho hoy en día? Deje de aferrarse a sus logros o fracasos del pasado. Algunos de ustedes están tan atados a su pasado o a su presente que no están viendo su futuro.

Es importante mirar hacia adelante. Su prosperidad y su destino están allá. En los Filipenses 3:13,14 (NIV), San Pablo dice, "Olvidarse de la que ha quedado atrás y dirigirse hacia lo que tenemos enfrente; sigo adelante hacia la meta para ganar el premio para el cual Dios me ha llamado al lado de Jesucristo." No se puede caminar hacia el futuro mirando hacia atrás.

Me gusta escuchar a la gente. Específicamente me gusta escuchar ese porcentaje del tiempo que la gente dedica a hablar de su pasado, presente y futuro. He encontrado que aquellos que predominantemente hablan de su pasado, generalmente están retrocediendo. Aquellos que hablan del presente, generalmente se están manteniendo en el mismo sitio. Pero aquellos que hablan acerca de su futuro, están creciendo.

Algunas personas se quedan tan lejos en su pasado, que su futuro se les va antes de que lleguen a él. El futuro atemoriza solo a aquellos que prefieren vivir en el pasado. Vivir en el pasado es una aterradora manera de desperdiciar energía. No puede construir nada basado en ello. Nadie ha construido nada próspero así. No podrá tener un mejor mañana si esta pensando en el ayer todo el día de hoy.

El mundo esta en sus manos. Cierre su mano, apriete el puño, no abra sus manos ni deje que las cosas se le deslicen por entre los dedos. Hoy es el primer día del resto de su vida; todo lo que tiene es el futuro. El pasado ya se fue, no importa lo que haya hecho, ya no esta, se acabó. La puerta está cerrada y no podemos cambiar el pasado. Desde ahora, es el mañana el que cuenta, dependiendo de su fe. Vamos, deje que Dios le muestre que está dispuesto a trabajar en su vida. Él quiere que tenga éxito. Él quiere que comience a vivir en fe, pero esto está sólo en sus manos. Usted puede rechazarlo, me puede rechazar a mí, puede rechazar todo esto, pero eso no significa que esté en lo cierto. Tiene derecho a equivocarse, es su decisión, y también es su futuro. Usted sabe que lo que tenemos que hacer, es darnos cuenta que lo que tiene entre las manos es la clase de información que la gente necesita, usted sabe, la clase de información que hace la diferencia.

No dependa del pasado. Deje su pasado atrás con un nuevo sueño. Eso es todo lo que se requiere. Le tomará mucho trabajo, pero tiene que comenzar de alguna manera. No puede permitir que los que no hacen nada le digan cuál es su futuro.

Estoy de acuerdo con el consejo de Paula Palmer: "No malgaste el día de hoy arrepintiéndose del ayer en vez de crear una memoria para el mañana." David McNally dijo, "Su pasado no puede ser cambiado, pero si puede cambiar el mañana por las acciones de hoy." Nunca deje que el ayer le consuma mucho tiempo de hoy. Es cierto lo que dijo Satchel Paige, "No mire hacia atrás. Es posible que algo le esté tomando la delantera."

"Vivir en el pasado es un torpe y solitario negocio; Mirar hacia atrás maltrata los músculos del cuello, haciendo que se tropiece con la gente mientras camina" (Edna Ferber). La primera regla de la felicidad es: Evite pensar largas horas en el pasado. Nada esta tan lejos como lo pasado una hora atrás. Charles Kettering agregó, "No podrá tener un mejor mañana si sólo esta pensando en el ayer." Su pasado no será igual a su futuro.

## Capítulo 11

# La felicidad
# está en perseguir un sueño

El éxito es la realización progresiva de un sueño de por vida; le tomará toda la vida porque tiene que crecer con usted. Uno de los hechos más sorprendentes es que si persigue su sueño con la suficiente diligencia, este empezará a buscarlo a usted también.

Muchas veces, la felicidad es el resultado de aquello en lo que se está concentrando. Puede ensayar y concentrarse en sus problemas y en el dolor, o puede concentrarse en su sueño. Demasiada gente se concentra demasiado tiempo en sus problemas y no lo hace lo suficiente en sus sueños. La felicidad no está en alcanzar sus sueños. En uno de los más importantes documentos sobre el cual se ha construido este país, sostiene que se nos garantizará la búsqueda de la felicidad. ¿No es eso cierto?

Nuestros antepasados sabían lo que era el éxito. Entendían lo que significaba la búsqueda de la felicidad. En otras palabras eran hombres muy exitosos que firmaron la Declaración de la Independencia y la Constitución, documentos sobre los cuales se basó y se construyó esta nación. Ellos entendieron cosas que muchos de los "bien educados y personas inteligentes de hoy en día no entienden. Una de ellas es que la felicidad sólo se mantiene como tal mientras la está

61

buscando. Obtener algo es simplemente lograr lo que ya se sabía que se iba a lograr. Entonces, se debe comenzar a buscar de nuevo otra cosa que se sabe que se tiene que lograr.

Recuerdo cuando estaba en secundaria, a uno de mis compañeros, Rich Bilby, quien trabajaba en la granja de su padre. Íbamos a un almacén, y él le compraba a todos una Coca Cola. Yo pensaba, algún día podré pagarle la cuenta a todos. Tantas veces que salimos y Birdie se ríe porque trato de arrebatar la cuenta todo el tiempo. Era algo que deseaba ser capaz de hacer. Pagar la cuenta. No tener que buscar en mi billetera para averiguar cuánto podría comprar. Comprar sin que me importara cuánto podría costar.

Libertad. ¿Qué nivel de libertad quiere para usted? ¿Qué tan alto quiere volar? ¿Qué tan grande va a ser su sueño? ¿Va a dejar que alguien lo convenza de alejarse de su sueño, o va a aferrarse a él? Si no lo hacemos este año, no nos detenemos, simplemente posponemos la meta. Establezca su visión más allá de lo que pueda comprender, es posible que parezca una fantasía, pero comprométase con ella. No se establecen metas fáciles; las metas correctas son aquellas que lo obligan a esforzarse.

Cualquiera que sea su sueño, para mantenerse vibrando y emocionado, tiene que mantenerse extendiendo, expandiendo y agrandando sus sueños. No es obtener un sueño lo que cuenta. Es perseguirlos, buscarlos. ¿Ira a compartirlos con alguien más?

No cambie de un programa de sueño a un programa de mantenimiento. Realmente usted no mantiene lo que tiene. Cuando deja de soñar comienza a fallar. El poder de la vida, la energía, todo está en sus sueños. No es su coeficiente intelectual. Un sueño más grande elevará su coeficiente intelectual. Un sueño más grande le ayudará a manejar los más grandes retos de su vida.

Benjamín Franklin dijo que el promedio de Americanos muere a los veintiuno y son enterrados a los sesenta y cinco. La gente dice, " ¿Bueno, y cómo es que algunos no logran tanto?" Su manera de pensar es lo que los detiene. Simplemente "mueren". Cada vez que se mete en su zona de comodidad, está en problemas. Manténgase en la zona de Sueños.

Solía tener una zona de comodidad
en donde no podía fracasar
Las mismas cuatro paredes de mucho trabajo
Era mucho más parecido a la cárcel estar.

Esperaba mucho en iniciar las cosas
que nunca antes había hecho
Pero me mantenía en mi zona de comodidad
Al mismo ritmo en el viejo lecho

Me dije, eso no importa,
que no estaba haciendo grandes cosas
Dije que no me importaban los detalles
como los sueños, metas y otras

Me quejé de lo ocupado que estaba
Con las cosas dentro de mi zona,
pero dentro de mí añoraba
algo especial de mi persona.

No podía dejar pasar mi vida,
solo observando a los demás ganar.
Contuve el aliento y salí
dejando que las cosas comenzaran a cambiar.

Di un paso con nueva fuerza
que nunca antes había sentido,
besando de despedida a mi zona de comodidad
cerrando con llave la puerta, me he salido.

Si está en una zona de comodidad,
con miedo de aventurarse afuera,
recuerde que todos los ganadores estuvieron
alguna vez llenos de dudas y espera.

Un paso con fe y la palabra de Dios,
puede hacer de sus sueños una realidad a su merced.
Reciba su futuro con una sonrisa,
¡el éxito esta ahí para usted!

(Anónimo)

# Capítulo 12

# ¡Sin excusas!

Me tuve que reír de ello. Había un tipo al cual le habían operado un pie hacía una semana, y estaba usando toda su energía y toda su pasión tratando de obtener excusas firmadas para no tener que ir a trabajar. Es asombroso; los ganadores reciben todo con grandeza. Los perdedores tratan de usar todo como excusa para salirse de lo importante. ¿Entiende la diferencia? Existe la mentalidad del empleado y existe la mentalidad del exitoso. Hay mucha gente que tiene la mentalidad del empleado. Quieren saber cuántos días tienen disponibles para estar enfermos, de manera que puedan planear cuándo estar enfermos. Quieren tomar esos días. Los ganadores no tienen tiempo de estar enfermos.

La peor compra es una excusa. Cada uno de nosotros que ha llegado lejos se ha esforzado. Conozco las historias; las hemos vivido. Pero ninguna excusa es aceptable para mi fracaso. Todas las excusas de los médicos, cuando dejé el hospital, no eran aceptables. Mi Señor es más fuerte. Mi fe es más fuerte. No hay excusas. Los ganadores lo hacen a pesar de cualquier cosa.

Cuando se es bueno en hacer excusas, es difícil superarse en cualquier otra cosa. El libro de Proverbios dice, "El trabajo trae prosperidad; hablar trae pobreza." No busque las excusas; busque progresar.

Las excusas son los clavos usados para construir la casa del fracaso. Una excusa es un egoísmo presentado de otra manera. "El noventa y nueve por ciento de los fracasos provienen de personas que tienen el hábito de hacer excusas" (George Washington Carver). Un hombre puede fallar muchas veces hasta que empieza a echarle la culpa a algo o alguien más.

Hemos podido encontrar las mismas excusas que encuentran las demás personas, pero los ganadores no aceptan excusas baratas porque no las podrá encontrar en su camino hacia el éxito. Es sobreponerse a toda esa basura lo que lo hará mas fuerte y mejor.

Cada uno de los que se rinde tiene su lista de razones que lo justifican. Solo quiero advertirle que cuando decide salir por su propia cuenta, experimentará un milagro en su vida y tendrá que tener una guerra. Tendrá una batalla alrededor de su sueño, y tendrá una pelea. Será su decisión si da la pelea o no y cómo lo hace. Pero nosotros escogimos, hace tiempo, dar la pelea con todas nuestras fuerzas y con la ayuda de Dios.

Hace algunos años, un amigo estaba en Corea y pisó una mina. Llego en muy mal estado. Su rostro lleno de miedo. Había perdido sus ojos. Le pusieron unas prótesis en su lugar. Sus ojos estaban siempre abiertos. Ciento por ciento inhabilitado. Ciego. Solía ponerse de pie y decir que hay gente que con una visión de 20/20 no puede ver nada. Aun cuando es ciego, puede ver las oportunidades mucho mejor que muchas otras personas que conozco.

Nunca deje que un reto o un problema se convierta en una excusa. Las renuncias y los fracasos siempre comienzan con una excusa, una justificación, o sintiendo pena por usted mismo. "El pan del engaño es dulce para un hombre; pero después su boca ha de llenarse de ripio" (Proverbios 20:17).

El hombre que realmente quiere hacer algo, encuentra una forma; los demás encontrarán una excusa. Antes aceptaba las excusas de todo el mundo. Entiendo el esfuerzo. Entiendo que le den excusas. Hoy en día no acepto excusas de nadie. No voy a ser su prescripción para el fracaso. Si esa es su decisión, es entonces suya. El éxito es sólo cuestión de suerte; si no pregúntele a cualquier fracasado.

Cuando estaba comiendo más de lo que debía, una de las cosas que nunca comía eran espárragos. Sólo recientemente he comenzado a comerlos. Hay como media docena de cosas en mi dieta que antes no tocaba, pero que ahora como porque me hacen mucho bien. Tuve que aprender a crear el gusto por ellas. La gente dice, ¿Realmente eres así? Pues no tengo alternativa; me tiene que gustar. Voy a aprender a apreciarlas. Así es el éxito. Mucha gente dice, "Bueno, no había manera, cuando estábamos comenzando a construir nuestro negocio, no había manera de que me hicieras hacer lo que tu estabas haciendo. No había manera de que trabajáramos tan duro. No había manera de hacerlo. Sin duda alguna, no había manera." Entonces... no habrá manera de que tengan éxito.

Voy a retarlo para que se deshaga de sus objeciones, que bote a la basura sus excusas, que haga algo que nunca antes haya hecho. Comprométase a cansarse durante treinta días, treinta días de rechazos, treinta días de estar orgulloso de sí mismo. Lo voy a retar a que se atreva a soñar por treinta días. A que se atreva a estirar su mano y que reciba una palmada, a sacar su cabeza y dejar que alguien lo golpee, a entrar en un cuadrilátero en donde se arriesga a que lo derroten. Verá entonces. Habrá dado el primer paso. La magia habrá comenzado y sus excusas sentirán miedo de aparecer.

Cualquier tipo que haya caminado por la cuerda floja sabe que tiene que mantenerse enfocado, mirando en dónde está, y siempre mirando hacia dónde se dirige. Uno que camine por la cuerda floja nunca mira la cuerda, siempre mira hacia su meta. Sólo siente la cuerda con sus pies. Si mira para abajo, allá terminará. Tiene que mirar hacia su objetivo. Y usted no puede mirar la basura que hay en el mundo. Tiene que mirar su sueño, la meta.

Lo mejor está aun por venir. No sea tan estúpido como para salir y encontrar algo equivocado en cada cosa. Sea lo que sea que haya estado equivocado, fue por alguien más, no por usted. No fue por su aprobación, de manera que no lo tome como si fuera su desgracia. Cuente con sus ventajas; cuente con lo mejor.

Recuerdo a mi amigo Jim, muy emocionado mostrándome los alrededores de su pueblo. Me mostró su casa y su cabaña a donde a veces se iba. Estoy observando los vehículos a un lado, y él observa los árboles al otro, cuando al ir en reversa se estrella con uno de los árboles. Yo le digo, "Jim has roto el vidrio trasero del auto." El entonces se rió, y saben, no había nada que pudiera hacerse. "Si" dijo él. "Me imagino que también arruiné toda la parte trasera del auto." Ni siquiera nos bajamos a mirar. El árbol no se estaba moviendo. No se podían cambiar los hechos. Pero sabe, cuesta lo mismo arreglar el auto, no importa si es rico o esta quebrado. No existe ninguna diferencia.

La mayoría de la gente le dirá que la gente exitosa es materialista, pero en realidad, la gente que está quebrada es la que es materialista. Un tipo quebrado se hubiera bajado del auto, se hubiera sentado allí, hubiera alegado por un buen rato y llorado por las próximas dos semanas. Todas las personas a su alrededor se hubieran enterado de su terrible tragedia. Me han sucedido cosas malas, como le pasan a todo el mundo. Se da cuenta, un ganador hace lo que tiene que hacer. Un ganador gana. Y es su decisión.

Tiene que ver el lado bueno de cada cosa en la vida. Un ganador verá el lado bueno de las cosas, y un perdedor verá siempre las nubes oscuras que vienen en la vida. ¿Qué está viendo usted hoy en día? ¿Está viendo las cosas buenas en la vida? ¿O tal vez solo ve las nubes oscuras que ya se avecinan?

Creo que se puede encontrar a cualquier persona con una excusa para justificar su fracaso, pero no estoy buscando excusas. Estoy buscando razones para ganar. Estoy buscando gente que quiera ganar.

Sabe, hoy es el primer día del resto de su vida sin excusas. Puede ser cualquier cosa que quiera ser. Cualquier cosa. No me dé sus excusas. No quiero escuchar excusas. Las excusas son algo que quiere esconder para no tener éxito.

# Capítulo 13

# ¡Destáquese - Aparezca!

"Ganar comienza con empezar" (Robert Schuller)

Decidí hace algunos años que era importante que me destacara. Cualquiera que fuera la condición en que me encontrara, sería importante que estuviera allí. Esto es lo que hace que nos movamos de ser pequeños hombres y pequeñas mujeres a ser grandes hombres y grandes mujeres; de pequeños a grandes; de comunes a extraordinarios.

El problema es que mucha gente tiene demasiadas excusas acerca del por qué no pueden hacer las cosas, en vez de tomar la decisión de hacerlas. Verá, su vida empieza a cambiar cuando empieza a tomar decisiones. Puedo decirle que mi vida cambió cuando tomé la decisión de destacarme en donde estuviera.

He aquí muy buenas noticias. Dios lo usará en donde se encuentre hoy en día. No necesita hacer nada más para que Dios lo empiece a usar ahora mismo. No tiene que leer otro libro, ni escuchar otra cinta de audio, memorizar otra escritura, sembrar una semilla, o repetir una oración o una confesión. No necesita siquiera asistir a otra iglesia o servicio religioso antes de que Dios pueda usarlo. Lo único que necesita hacer es destacarse, aparecer y empezar.

Solo comience, porque Dios usa vasijas vacías no aquellas que están llenas. Siga este poderoso consejo, "Tengo una simple filosofía. Llene lo que esta vacío. Vacíe lo que está lleno. Rasque en donde le dé comezón." (Alice Roosevelt)

Todo aquello grande comenzó siendo pequeño. Nada grandioso ha sido creado de repente. Nunca decida no hacer nada únicamente porque sólo puede hacer un poco. Esta clase de decisiones son algo muy grande aun cuando algunas veces parecen algo sin importancia en su momento.

Lo que puede hacer, lo puede hacer. ¿Qué es lo que funciona? Trabaje en ello. No desee hacer cosas que no puede hacer. En cambio, piense en aquello que puede hacer. Cada uno de los que ha llegado hasta donde están hoy, han tenido que comenzar de alguna parte. Solo una persona entre mil sabe realmente cómo vivir en el presente. El problema es que rara vez pensamos en lo que tenemos; en vez de eso, sólo pensamos en lo que nos hace falta.

"No necesitamos más fuerza o más habilidad ni mejores oportunidades. Lo que necesitamos es usar lo que tenemos" (Basil Walsh). La gente siempre está ignorando algo que pueden hacer y tratando de hacer algo que no pueden hacer. Aprender nuevas cosas no ayudará a la persona que no está usando lo que ya sabe. El éxito significa hacer lo mejor que se pueda con lo que tenemos.

Levántese y actué cuando tenga la oportunidad de hacer algo diferente y emocionante en su vida, aun si siente miedo. Vivirá en un mundo de miedo o de fe. Y si quiere saber en dónde se encuentran las cosas hoy en día, el futuro está en el mundo de fe, no en el de miedo.

He aquí uno de los mejores consejos que me han dado: "Haga algo"

El valor que se necesita para comenzar es el mismo que se necesita para tener éxito. Es el valor lo que generalmente separa a los soñadores de aquellos que logran algo. El inicio es la parte más importante de cualquier empresa. El noventa por ciento del éxito está en salir y comenzar. Puede que se sienta mal si fracasa, pero se sentirá culpable si no lo hace.

No se engañe; el conocimiento de adonde quiere llegar nunca será un sustituto de poner un pie delante del otro para llegar allá. Descubra lo emociónate que es avanzar paso a paso. Para ganar debe comenzar.

Hágase esta pregunta: "¿Si no actuó ahora, qué es lo que en últimas me costará? Cuando un procastinador finalmente se decide a actuar, la oportunidad siempre ha pasado. Edwin Markum dijo,

"Cuando un deber a su puerta ha de llamar,
Dele la bienvenida y hágalo seguir; porque si lo hace esperar,
entonces partirá, solamente para una vez más volver
y otros siete deberes más consigo traer.

Ocasionalmente verá a alguien que no hace nada, a pesar de parecer exitoso en la vida. No se engañe. Recuerde el viejo dicho, "Aun un viejo reloj da la hora correcta dos veces al día."

Este viejo dicho es cierto, "Nada es más fatigante que la eterna espera ante una tarea incompleta." Las personas que demoran la acción hasta que todos los factores son perfectos, no hacen nada. Jimmy Lyons dijo, "Mañana es el único día en el año que atrae al hombre perezoso."

La procrastinación es la tumba en donde las oportunidades son enterradas. Cualquiera que se jacta acerca de lo que va a hacer mañana, hizo probablemente lo mismo ayer. Pocas cosas son más peligrosas para el carácter de una persona que no tener nada que hacer y mucho tiempo para no hacerlo. Matar el tiempo no es un asesinato, es un suicidio. Dos cosas le roban a la gente su tranquilidad: El trabajo inconcluso, y el que aun no se ha comenzado. Si, definitivamente tiene que "aparecer y destacarse."

Capítulo 14

# ¿Son las cosas pequeñas las más importantes en su vida?

Siempre he sido una persona flexible, pero tengo cierta regla. Le doy mas importancia a las cosas grandes y menos importancia a las menores. Nunca le doy gran importancia a las cosas pequeñas, ni al contrario. Si es algo importante, me le dedico. Si es algo de menor importancia, simplemente lo olvido.

Ahora, usted y yo tenemos que aprender a tomar aquellas áreas importantes de nuestra vida, y esforzarnos para ser productivos, de manera que podamos estar orgullosos de nosotros mismos, y así, las personas a nuestro alrededor también estarán orgullosas de nosotros. ¿Tiene algún problema? Deshágase de él y comencemos. Deshágase de su problema. Mire, no se ate a él. Algunos de ustedes están ahí atados a algún problema en vez de ir tras la solución. Como podrá ver, vivo de las soluciones. No vivo metido en los problemas. El único momento en que me meto en algún problema es cuando estoy trabajando en la solución. Deme usted su problema y yo le daré la solución. Yo sé cuál es porque me ha tocado encontrar todas esas soluciones para mis propios problemas. Usted no ha tenido un problema por el cual yo no haya pasado ya. He aprendido a lo largo de mi vida que encontrará a algunas personas que crean problemas, son inventores de problemas. Usted sabe, si

71

conoce a un tipo que viene con quince problemas, los cuales usted nunca ha tenido, es porque él tampoco los tiene. Simplemente está tratando de inventarse algo. Es difícil vivir con un auténtico ganador ya que tenemos principios y somos categóricos con ellos. "Esta es la manera como es. Ya he tenido suficiente, y hasta aquí llegamos, ahora mismo, punto." Y mi frase favorita siempre ha sido, "Eso es todo, punto." Y cuando escuche "Eso es todo, punto", tenga cuidado.

Darle la importancia a los asuntos de importancia es cuestión de prioridades. Sabemos que las prioridades en la vida son en realidad: Número 1, Dios; Número 2, Familia; Número 3, País; Número 4, su profesión. Está bien, esas son sus prioridades en la vida, ¿no es cierto? Fui creado por Dios, y usted también. Él nos hizo con el potencial de ser los mejores, pero es nuestra decisión.

Una de las claves más importantes para el éxito, es tener más cosas para hacer de las que realmente puede hacer. Es ahí entonces cuando empieza a hacer lo que tiene que hacer. Deja de entretenerse con cosas pequeñas, y le da importancia a lo verdaderamente importante. El noventa y cinco por ciento de la gente de negocios, gasta el noventa y cinco por ciento de su tiempo en cosas de menor importancia. Podrá encontrar un buen número de faltas en los líderes porque generalmente no le damos importancia a cosas menores. Más de lo que se puede imaginar, siempre tendremos más cosas que hacer de las que podemos manejar. Nos concentramos en los asuntos de importancia, y nos ve desordenados y dispersos en aquellas que no la tienen, y usted pensará, ¡*OH no, ¿cómo podré seguirlo?!* Aprenda a darle importancia a lo que realmente la tiene.

Si permite que las cosas sin importancia se conviertan en algo grande para usted, se encontrará tan disperso en tanta minucia que se volverá mediocre en todo y no podrá hacer nada con excelencia. Logra *más* al hacer *menos*. Delegue, simplifique o elimine las cosas que no sean prioritarias lo más pronto posible. James Liter dijo, "Un pensamiento que llegue al 'home', es mejor que tres que se hallan quedado en las bases."

En aquello en lo que ponga su corazón, determinará como

la pasará el resto de su vida. Siga este poderoso consejo del Apóstol San Pablo, quien escribió, "Esta única cosa que hago... avanzo con determinación hacia mi objetivo." Carl Sandberg dijo, "Hay personas que quieren estar en todos lados al mismo tiempo, y no llegan a ninguno."

Una clave para obtener resultados es estar enfocado. Tal vez ninguna otra clave para lograr el crecimiento y el éxito se pasa tanto por alto como esta. La tentación es siempre hacer un poco de cada cosa. "Hay tan poco tiempo para el descubrimiento de todo lo que queremos saber, acerca de cosas que realmente nos interesan. No podemos darnos el lujo de desperdiciarlo en cosas que son de interés momentáneo, o en las que nos podemos interesar, porque otros nos han dicho que debemos hacerlo" (Alec Waugh). Sin enfoque, no hay armonía ni productividad.

Ya vendrán momentos en su vida en los cuales tendrá que aprender a decir *no* a muchas buenas ideas. De hecho, entre más crezca, más oportunidades tendrá de hacerlo.

*Si* y *no* son las dos más importantes palabras que jamás dirá. Esas serán las dos palabras que determinarán su destino en la vida. Cómo y cuándo las diga, afectarán su futuro totalmente.

Decida darle importancia a aquello que lo tiene.

# Capítulo 15

# No deje que sus estudios interfieran con su educación

Es muy importante que entendamos lo que es la educación, la correcta educación. No tengo nada en contra de la educación, pero si tengo algo en contra de la mala educación, la equivocada. Y mucho de lo que encontramos en el sistema actual en las escuelas y universidades, es mala educación.

Actualmente es algo muy triste en los Estados Unidos, cuando estamos poniendo tanto énfasis en educación y tan poco en la experiencia. Hemos usado una expresión por años, y escuchamos y recordamos esto muy bien. Usted puede estar en desacuerdo conmigo. Si no está de acuerdo, entonces está equivocado. Es realmente simple: un hombre con experiencia nunca estará a merced de un hombre con una teoría. Continúe aprendiendo, la escuela nunca cerrará.

Es parecido a lo que el hombre dijo, "Cuando me case, no tenía hijos pero tenía cuatro teorías. Ahora tengo cuatro hijos y ninguna teoría."

¿Cuánto vale el conocimiento? No tiene precio. ¿Se da cuenta de lo que estoy diciendo? No tiene precio.

La cosa más absurda en el mundo es alguien que no es lo suficientemente listo como para entender el valor del conocimiento comprobado.

Mas del cincuenta por ciento de la gente que va a obtener una educación, lo hacen porque les han dicho durante toda su vida, la importancia vital que esta tiene. Y muchos de ellos realmente no saben por que la están obteniendo. Ahora, hay ciertas personas que se han ido hacia campos mas especializados. Cuando hablo de educación, recuerde que soy un educador. Estoy en contra de la educación equivocada.

Un famoso dicho reza: "Es lo que se aprende después de que se sabe todo, lo que realmente cuenta." Debo admitir que de alguna manera soy fanático acerca de esto. Odio tener tiempo ocioso. Tiempo durante el cual no estoy aprendiendo nada. Aquellos a mí alrededor saben que siempre tengo que tener algo que leer o escribir durante cualquier tiempo ocioso que tal vez surja. De hecho, trato de aprender algo de todos. De algunos, es posible que aprenda lo que no debo hacer, mientras que de otros, aprendo lo que sí debo hacer. Aprenda de los errores de los demás. Nunca podrá vivir lo suficiente para cometer todos los errores que ve en los demás.

¿Qué tan importante es el conocimiento? La gente pagará treinta mil dólares para enviar a sus hijos a la universidad por un año, a algunas de las mejores universidades, y nunca encontrarán allá lo que está escrito en este libro. ¿Quién está siendo engañado? Después de ser un pobre tipo del callejón, graduado con dificultad, con pobre auto imagen, tartamudo, a convertirme y estar en donde estoy hoy en día, tuve que cambiar y cambiar y cambiar y cambiar. Tuve que soñar y soñar y Soñar. Tuve que esforzarme y esforzarme y esforzarme y reunir conocimiento comprobado en cada paso que di a lo largo de mi camino.

En la medida en que aprenda más acerca del sistema de la libre empresa tendrá que enfrentarse a una cantidad de gente que ha crecido con la educación como única respuesta. Bueno, la educación correcta. Esa no es un diploma colgado en la pared.

Existe algo equivocado en la mayoría de los sistemas de educación, que lleva a la gente al punto de crear un estatus por el sólo hecho de tener un pedazo de papel. Ahora, existe una diferencia entre tener conocimiento en su cabeza, que lo hará producir y convertirse más exitoso que mucha otra gente. Siempre que se encuentre en un área en la cual pueda obtener la suficiente educación que lo haga usar esa cosa que usted tiene, llamada cerebro, mejor que ese otro tipo al lado suyo, de manera que pueda sobrepasarlo, entonces la educación vale la pena. Si sólo esta colgada en la pared y no está en usted, entonces no tiene nada.

Usted sabe, si voy al gimnasio en Carlotte, Carolina del Norte, no tengo que revisar las calificaciones de un tipo para darme cuenta si está capacitado para enseñarme a hacer ejercicio. Lo único que tengo que hacer es mirarlo. No tiene que medir dos metros para ganarse mi respeto. Si sólo mide uno con cincuenta y se le nota que ha trabajado todos sus músculos, yo voy a decir, "Hey, este tipo sabe lo que está haciendo." ¿Correcto? Pero si es un debilucho de cuarenta y cinco kilos y me esta diciendo, "Déjeme decirle como es que debe trabajar sus músculos," no lo voy a escuchar. ¿Entonces por qué es que escucha y pierde tanto tiempo escuchando a tipos con esa mentalidad?

Verá, el noventa por ciento de todos los viejos dichos es puro sentido común, y tiene sentido. Por eso es que han perdurado a través de los años. Y hay un viejo dicho que ha sido repetido una y otra vez, y todos lo hemos dicho alguna vez, pero no entendemos ese simple enunciado, "¿Si es tan listo, por que no es millonario?" ¿Y si la universidad es tan grandiosa, por que tienen tantos problemas financieros? Número uno, no están graduando gente que se está haciendo rica después de un tiempo, de manera que les pueda aportar algunos miles de dólares. Están buscando que el gobierno les proporcione fondos. Y el gobierno no es tan listo.

¿Va a dejar que la educación universitaria sea aquello que lo detenga o aquello que lo saque adelante? ¿Sabe qué son la mayoría de universidades? Las universidades son una cantidad de gente que ha estudiado una cantidad de cosas, pero eso no significa que sepan algo. No se tiene un real conocimiento hasta que no se ha producido y no se ha trabajado en algo.

Una de las grandes revistas escribió que Henry Ford era un idiota, y este los demandó. Ellos lo llevaron a la corte para probar que era un idiota, pues no podía ni leer ni escribir. Lo tenían "contra la pared", y realmente le estaban dando muy duro en esa corte. Y justo en la mitad de todo aquello, se dio vuelta hacia el abogado y dijo, "Señor, delo por seguro, admito que no sé leer ni escribir. Pero puedo pagar lo suficiente para que usted venga, lea y escriba por mí. De manera que ¿Realmente quien es el idiota?

No hay nada más triste que un profesor de economía que este quebrado. No hay nada más triste que los estudiantes de economía continúen quebrados. Mi hija fue a la universidad por un año, y una de las clases que tomo cuando estuvo allí, fue la de economía. Ella dijo, "Papa, no pude seguir escuchando más a ese profesor de economía. Siempre estaba en desacuerdo contigo, y encima de eso, estaba quebrado." Desgraciadamente, esa es generalmente la historia. Ella dijo, "No necesito tanto el Diploma como voy a necesitar el dinero. Usted puede aprender más en una hora con un ganador de lo que jamás aprenderá con un tipo que sólo ha estudiado en su vida."

Es realmente importante entender que mucha gente se aferra a un grado universitario, y entonces también comprometen toda su vida. En cambio, puede salir allá afuera y hacer de su vida un éxito, y si después quiere obtener un grado en alguna maestría, entonces agarre un pedazo de papel y escriba, "Maestría en _____". Enmárquelo y cuélguelo en alguna pared. Tendrá más valor y le costará menos.

No se sienta mal porque tiene una cantidad de amigos brutos que son altamente inteligentes y lo están tratando de hacer sentir estúpido. Dijeron que Einstein era estúpido, ¿no es cierto? Mucha gente era estúpida. Puede leer todos los libros de texto que se utilizan en los colegios, acerca de tipos que fueron desmeritados y cómo lograron surgir. Ellos cambiaron la historia. ¿Quiere cambiar la historia? ¿Qué tal cambiar su historia primero?

La gente mejor pagada del mundo son aquellos que tienen la mayor experiencia y proveen el más alto valor . ¿Cómo puede obtener experiencia? De los errores o haciendo las cosas, punto. Algunas veces hará las cosas correctamente por accidente, pero tiene que aprender de los buenos y malos errores.

Deje de estar obsesionado con la educación. En vez de eso, obsesiónese con la experiencia. La experiencia es aquello que divide a los ganadores de los perdedores. No se trata de aquello que los demás dicen que puede pasar, se trata de lo que usted sabe que puede pasar al estar allá afuera produciendo.

**Capítulo 16**

# Nunca discuta
# con un multimillonario

Nunca debería discutir con un millonario en su campo. Él es un campeón. Siempre me rió, porque cuando usted va a compartir su sueño con algún pequeño Joe, y este tiene una chatarra parqueada enfrente, está viviendo en un apartamento rentado, con muebles viejos, y sabe de todo. Pero tienen que aprender a ser damas y caballeros. No les pueden decir este viejo adagio, "Si es tan listo, ¿por qué no es millonario?" Joe ni siquiera se encuentra en un lugar en donde pueda entender esto, ¿de acuerdo? Simplemente está convencido de que lo sabe todo, así que tiene que amarlo. Tal vez hacerlo hacer algo pequeño. Dando pequeños pasos ira ganando confianza y fe en sí mismo.

Ya no me siento a discutir mis asuntos de negocios con nadie. Simplemente expongo los hechos. Si no les gustan, entonces voy a buscar a alguien que sea un ganador. No tengo por qué perder mi tiempo con perdedores. ¿De acuerdo? Es muy importante entender eso. En otras épocas, cuando recién empecé, cuando era inmaduro, me sentaba en la sala y discutía toda la noche con  alguien que era estúpido.

"Bueno, si esa es la manera como se siente, es asunto suyo." Las únicas veces en las que no le digo a alguien eso, es cuando veo deseo, acción y voluntad de aprender. Discutiré con alguien que está creciendo y que quiera seguir creciendo, porque ese argumento vale la pena. ¿Entiende? Ya ha mostrado un compromiso. Simplemente no posee el conocimiento suficiente. De manera que discutiré para demostrar mi punto, y hacer que esta persona no siga equivocada el resto de su vida. Es muy importante entender esto.

No estoy siguiendo al mundo. El mundo me está siguiendo a mí. Ahora, ¿Tiene al mundo siguiéndolo, o está usted siguiendo al mundo? ¿Está siguiendo al tipo que no sabe para donde va, o va a guiar a aquellos que no saben para donde van, ayudándolos y guiándolos correctamente?

El otro día me senté con un hombre relativamente nuevo en el negocio. Él fue a la universidad. Era un hombre de libre empresa, pero salió de la universidad siendo un socialista. En cuatro años deshizo todo lo que su padre construyó en dieciocho. Entonces recientemente se sentó con alguien quien le echó para abajo esas ideas de libre empresa. Estaba empezando a guardar esas ideas en su cabeza. Entonces vino a mí y dijo, "Dexter, creo me estoy desbaratando. Quiero hablar con usted. ¿Por qué esto? ¿Por qué aquello?" Ve, justo ahí mismo hubiera podido decidir discutir. En vez de eso, decidió escuchar y aprender. Así que le expliqué esto y le explique aquello. "Invertir mi tarde con usted fue más valioso que un millón de dólares, porque estaba dirigiéndome en la dirección equivocada. No había aprendido. Tengo el título, tengo el estilo de vida, pero no había aprendido lo básico. Por esto no había entendido el *por qué*. Cuando no se tiene el *por qué,* entonces cualquiera puede sacarlo del camino correcto."

La gente que tiene éxito escucha y aprende. Desarrollan una gran fe, porque aprenden a vivir en fe. Aprenden a vivir cuando los demás se están riendo de ellos. Ven un estilo de vida. Ven un propósito. Ellos ven que lo que están rindiendo es un servicio genuino a la gente, y están dispuestos a dar todo de sí mismos.

Hay personas que no me entienden y nunca lo harán porque no me han estudiado. ¿Quiere conocerme? ¿Quiere conocer a Birdie? Estudie a Birdie. ¿Quiere un buen matrimonio? Estudie a su pareja. No siga tratando de cambiarla. Cambie usted. No puede cambiar a nadie. Todo el mundo quiere un cambio en el estilo de vida. Todos quieren un cambio en sus finanzas, pero se rehúsan a cambiar ellos mismos. Tiene que estar dispuesto a hacer todo aquello que sea necesario. Cuando está buscando a alguien que le enseñe, va a querer estar seguro de que encontrará a alguien que esté desarrollando campeones.

Siempre hable menos de lo que sabe cuando esté rodeado de gente más exitosa que usted. Recientemente vi un aviso que estaba montado bajo la boca de un gran róbalo disecado. Decía: "No estaría aquí si hubiera mantenido mi bocota cerrada" ¡Muy cierto! Es difícil escuchar cuando se discute. Y cuando no se escucha, es difícil aprender.

## Capítulo 17

# Usted es excelente, o no lo es

Hace algún tiempo tuve que hacerme arreglar un pie por un reconocido médico que estaba comprometido con hacerlo bien a pesar de que su oficina estaba dañada. Él dijo, "Disculpa por mi oficina Dexter. Sé que es la primera vez que vienes, y encuentras todo desordenado. La compañía de seguros quería que cerrara debido a que hace dos semanas tuvimos un incendio en la oficina de enseguida, y se quemó todo." Él estaba situado en un gran centro comercial y querían que cerrara su negocio. Él les dijo que no podía cerrar, aun cuando estuvieron de acuerdo en indemnizarlo con tres mil dólares diarios durante un mes completo, sólo por mantenerse fuera de su negocio. Él les dijo que en un mes vería reducida su clientela, ya que al no encontrarlo, buscarían a alguien más. Él dijo, "De manera que en contra de su advertencia, he seguido adelante, conseguí nuevo equipo, y continúo operando. La práctica de mi oficio es más importante que unos dólares de la compañía aseguradora. De manera que tenemos una cantidad de cosas pequeñas con las que tendrá que lidiar, así que no juzgue mi desempeño por lo que ve hoy. Cuando nos encontremos de nuevo a todo vapor, va a ser diferente. Sé que va a tener el mejor tratamiento aun cuando me vea mal,

81

que el que podrá encontrar en otros lugares que se ven muy ordenados." Vi inmediatamente que ese liderazgo es igual en todas las áreas. La excelencia es importante.

El error más grande que puede cometer en la vida es no ser consecuente con lo que se sabe. George Bernard Shaw señaló: "Manténgase claro y brillante; usted es la ventana a través de la cual verá al mundo." Siga el consejo de Ralph Sockman: "De lo mejor que pueda en el nivel más alto que pueda, y hágalo ahora mismo."

El carácter es la base real de un éxito que vale la pena. Una buena pregunta que debe hacerse a sí mismo es, "¿Qué clase de mundo sería este si todos fueran como yo?

Usted no se convierte en alguien bueno simplemente por decidir no ser malo. No mejorará simplemente por decidir no ser mediocre, y no ganará al decidir que no va a perder. Debe existir por alguna razón. Yo estoy aquí para un propósito, sueños y excelencia. Bien sea nuestro país, nuestra pareja, nuestros hijos, nuestro grupo o nuestro negocio, tenemos que encontrar lo mejor y enfocarnos en ello.

Vivir una doble vida lo llevará a ninguna parte el doble de rápido. "Los pensamientos nos llevan a los propósitos; los propósitos se convierten en acciones; las acciones se traducen en hábitos; los hábitos forman el carácter; y el carácter forja nuestro destino," dijo Tryon Edwards. El libro de Proverbios afirma, "Es mejor escoger un buen nombre que grandes riquezas." El carácter es algo que se tiene o se es. No trate de hacer algo por usted; en vez de eso trate de hacer algo con usted.

No busque simplemente el éxito. En vez de eso, busque la excelencia y encontrará ambos. Trabaje para convertirse en algo, no para adquirir cosas. Haga lo mejor que pueda, y deje que los resultados se cuiden a sí mismos. La gente es graciosa; gastan el dinero que no tienen, para comprar cosas que no necesitan, para impresionar a quienes no les importan. El éxito no esta basado en lograr lo que desea, sino desear lo que debe recibir. "Bienaventurado el hombre que soporta la tentación; porque cuando haya resistido la prueba, recibirá la corona de la vida, que Dios ha prometido a los que le aman. (Santiago 1:12).

Siempre hay una gran demanda por mediocridad fresca. No se deje tentar. En vez de eso, déjese satisfacer por lo mejor de lo mejor. Cuando está dando lo mejor de sí mismo, es cuando se siente más exitoso. "La excelencia exige que sea mejor que usted mismo" (Ted Engstrom). Nunca venda sus principios a cambio de popularidad, o se encontrará en la bancarrota en la peor de las formas.

Los pasajeros de una línea aérea comercial habían estado sentados esperando que la tripulación los llevara a su destino. Se oyó un murmullo en la parte de atrás del avión, y un grupo de pasajeros sentados en el pasillo se inclinaron para ver al piloto y al copiloto subiendo al avión, los dos, usando anteojos oscuros para el sol.

Sin embargo, el piloto usando un bastón blanco, se abre paso a través del pasillo, tropezando con los pasajeros a diestra y siniestra, y el copiloto viene con un perro guía para ciegos. En la medida en que pasan por las filas en medio de los pasajeros, se oyen comentarios nerviosos, y la gente esta pensando que es algo así como un chiste.

Pero unos minutos después de que la puerta de la cabina de mando se ha cerrado, los motores empiezan a funcionar haciendo más ruido, y el avión empieza a moverse hacia la pista. Los pasajeros se miran unos a otros con cierta ansiedad, diciendo cosas en voz baja, cambiando de posición nerviosamente o agarrándose fuertemente de los asientos. El avión empieza a acelerar, la gente entra en pánico. Algunos pasajeros están rezando, y al acercarse el avión al final de la pista, ya todos están histéricos.

Finalmente, cuando les restan solo unos segundos para despegar, los gritos de horror llenan la cabina cuando gritan todos al mismo tiempo, y en el ultimo instante, el avión levanta vuelo.

Adelante en la cabina, el copiloto respira en señal de alivio y se voltea hacia el capitán diciendo: "Sabes, uno de estos días los pasajeros van a gritar muy tarde, y vamos a matarnos"

Algunas veces puede permitir que el compromiso vaya lejos sin tener que gritarle, "¿Qué tan lejos vas a ir?"

Conozco a un par de tipos de setenta y cinco años que me hacen ver como si no tuviera un solo músculo. Me digo a mí mismo todo el tiempo que quiero ser como ellos. Cuando crezca, quiero verme igual a ellos. ¿A cuántas personas de setenta y cinco años se quiere parecer? Es asombroso. Después de que tuve mi primer ataque, me decían, "Hombre, no puedes protegerte. Si tienes un par de dólares, cualquiera puede noquearte." Lo gracioso de todo esto es que si yo saliera con este par de "viejos", sé que cualquier tipo rudo los miraría a ellos y terminaría metiéndose conmigo. ¿Qué quiere ser? ¿A quién se quiere parecer? Dios lo creo para ser el mejor, no para ser el segundo. Tenemos que crecer y llegar a ser algo. Tenemos que soñar. Tenemos que creer.

En la carrera por la excelencia no existe línea de meta. "Existe una mejor manera de hacerlo... encuéntrela" (Thomas Edison).

Capítulo 18

# Solamente un sueño puede hacer que un sueño se vuelva realidad

Supongo que lo retaré con esto. ¿Es esto algo que se supone debiera tener? Entonces, vaya por ello. Si hay algo que se supone que tiene que hacer, entonces hágalo. Queremos que se sienta emocionado por algo que sucede muy dentro de usted, un apetito que ninguna comida puede satisfacer, un deseo que diga, seré todo aquello que Dios haya dispuesto para mí. Queremos que desee algo tan intensamente que duela. Sabemos cómo es eso, porque nos ha dolido a nosotros. Nos dolió estar allí sentados en la audiencia. Nos dolió tanto, que decidimos que jamás nos convertiríamos en alguien que renunciara. Decidimos apartarnos de eso, perseguir nuestros sueños, buscar cambiar nuestras vidas y metas enfocadas en lograr la libertad.

Realmente creo que la mejor manera de vivir nuestras vidas es "afuera de la caja." El futuro pertenece a aquellos que pueden pensar pensamientos impensables, mirar hacia donde nadie mira y tomar acción antes de que sea obvio.

Solía tener un hábito, cuando vivía en Rome, Nueva York. Había dos casas de ensueño, una era el sueño de mi esposa y la otra era el mío. Yo estaba dispuesto a tomar cualquiera de los dos. Significaba avanzar. Solía ir después de cada reunión a

85

sentarme por cinco minutos enfrente de cada una. Por lo menos cinco minutos, simplemente las observaba. Estaba metiendo esas casas en mi subconsciente. Después me iba al distribuidor de Cadillacs. Cada noche, después de cada reunión, miraba cada uno de los mas recientes modelos, los que jamás hubiera visto. Y estaba poniendo eso también en mi subconsciente. Estaba cortejando esas casas, al igual que los autos. Lo mismo que hacia con mis novias. Poniéndolas en mi cabeza, en donde no era cuestión de que fueran algo agradable sólo si algún día pudiéramos obtenerlas. En cambio, era algo como, "tengo que obtener estas cosas". Las estaba tomando de un deseo y las estaba convirtiendo en una necesidad. Cuando empiece a necesitar algo, lo obtendrá muy pronto, sólo cuando lo necesite con la fuerza suficiente. Verá, el problema con mucha gente es que no salen a antojarse de algo que puedan desear muy fuertemente. Algo que realmente deberían ir a buscar. ¿Sabe? Tiene que dolerle desear tenerlo.

Una de las mejores cosas que puedo hacer es llevarlo a un reino que sea imposible para usted pagar, dejar que lo vea, que lo toque y luego sacarlo de allí. Usted sabe que la mayoría de la gente a la que le duele, está creciendo.. Cuando deja de doler, dejan de tener metas y dejan d crecer. Pierden el propósito. ¿Puede imaginarse eso?

Las únicas objeciones que tiene que resolver son las suyas. ¿Hacia dónde se dirige? Algunos de ustedes estarán tentados de quedarse en donde están. Algunos van hacia la cima. Ve, lo que le estamos diciendo es ¡vamos hacia arriba!. Y si no lo puede creer, entonces no lo puede hacer. No importa cuales sean los tropiezos o cuál sea el potencial. Su confesión se convertirá en su posesión.

Mi primer paso fue aprender a creer en mi mismo y a conseguir un sueño. Mi siguiente paso fue encontrar otro. Entonces descubrí que lo más grandioso que tenía que hacer en mi vida era trabajar lo suficientemente duro en mi sueño, porque mi sueño era lo que me daba energía para lograr aquello de lo cual era capaz. La gente elimina su propio potencial. Mi oración para hoy es, "Dios dale a cada uno un sueño, que nunca abandonen, con la confianza de que lo pueden lograr, con la convicción de que estarás ahí hasta que logren verlo hacerse realidad." Entonces, Él les dará el poder de aferrarse a su sueño hasta que lo vean convertirse en una realidad.

¿Qué tan grande es su sueño? Los líderes son soñadores. Mi mayor tarea es hacerlo soñar en grande. De manera que dígame que quiere ser, y yo lo ayudaré a llegar allá. Quiero que vaya y mire casas muy bonitas, y quiero que las mire tanto que diga, "Me merezco una de estas." Después quiero que vaya y haga el trabajo necesario para conseguirla.

Después los demás querrán obtener lo que usted ya tiene. Querrán lo que usted tiene y harán lo necesario para obtener lo mismo, ¿Cierto? Tiene que buscar un sueño. Tiene que encontrar algo que quiera con tanta fuerza que hará lo que sea necesario para conseguirlo. Es diferente para cada uno. Encuentre aquello que desea con fuerza y después busque la manera de conseguirlo.

El establecimiento de metas se da cuando se quiere avanzar con fe. Cuando comienzo a avanzar con fe, lo que hago, es escribir mis metas y hago una copia de ellas. También hago que mis hijos y Birdie escriban sus metas y hago una copia de ellas. Pongo las copias en un lugar especial para leerlas un año después de que las escribo. Entonces, nos reunimos todos y rezamos sobre estas metas y le pedimos a Dios que las bendiga y su ayuda para lograrlas. Algunas veces escribo cuarenta y ocho, cincuenta, treinta y ocho o quince metas. Quiero una mejor relación con mi grupo, quiero una mejor relación con mis hijos, quiero una nueva casa, quiero un nuevo auto, y hay que escribir que tipo de casa y que tipo de auto. Tiene que definir que es lo que quiere y lo tiene que poner esas metas por escrito.

Estoy seguro de que tiene que tener una razón. Y nunca va a llegar muy lejos si el dinero es su única razón. Mi "razón" es salvar a América y predicar la palabra del evangelio. Mi vida está comprometida con ello. Sé que voy a arreglar muchos matrimonios. Sé que voy a hacer muchas otras cosas porque tengo una "razón".

Prefiero estar con gente que está haciendo algo y que está yendo a alguna parte. No se trata del tamaño del ingreso o el tamaño de la ciudad donde vive lo que hace la diferencia; es el tamaño de su pensamiento. Es el tamaño de su sueño, su compromiso y su deseo. La gente va de un deseo a una necesidad y de ahí a un logro. Hay muchos que desean a nuestro alrededor. Desearía tener esto, desearía tener aquello, y sólo se convierten en gente que ni fu ni fa. Lo que realmente estamos buscando es a esa gente que se está moviendo, saliéndose del área de los deseos para ingresar al área de querer y necesitar. Quiero esto. Entonces se mueve a, lo necesito. Tengo que tenerlo. Lo logré, lo tengo.

Es por eso que hasta que no se mueva de "yo deseo" y "yo lo intento" y "yo espero" a "yo necesito" y "yo voy a hacerlo", no va a conseguir lo que quiere; no va a poder tenerlo hasta que no se mueva. No se va a mover de una posición débil a una posición fuerte. Tiene que moverse del deseo al querer, y esto lo hará arder por dentro.

Tenemos dos Jets porque nos metimos en este pequeño negocio con un pequeño sueño de ganar mil dólares al mes. Después me di cuenta de que podía ganar más. Me estiré y esforcé mi cerebro un poco más, y empecé a soñar. Mi patrimonio neto empezó a crecer. Mi ingreso empezó a crecer. Mi zona de comodidad también lo hizo. El punto es que empecé a soñar.

Cuando su sueño deja de progresar y se empieza a sentir cómodo, entonces deja de soñar y deja de crecer. Entonces trabaje en su sueño. Mi sueño número uno es la persona número dos en mi vida. Birdie es mi persona número dos. La persona número uno es mi Señor y salvador.

Volviendo atrás a Rome, Nueva York, estábamos con un par de amigos de la secundaria. Fui a ver a uno de ellos con el cual trabaje. Era mi jefe en Sears, y acababa de retirarse. Se ve muy bien. Goza de buena salud. Le pregunté acerca de su programa de retiro. Sears tiene un excelente programa. Me contó lo que había logrado obtener después de trabajar allí por cuarenta y tres años. Aquello sería un muy mal mes para mí. Es interesante, le está yendo lo más de bien. Tiene lo suficiente para retirarse y vivir bien, pero todo lo que recibirá en su retiro no sería suficiente para mantener una de mis casas por un año. Él era más inteligente que yo. Él era mi jefe. ¿Qué paso? ¿Tuve suerte o vi la oportunidad de tener mi propio negocio, sueños, fijarme metas, o perseguir la libertad? ¿En dónde estará usted en cinco, diez, veinte años, o aun dentro de un año?

Deje que su fe vaya más rápido que su mente. Vaya más lejos de lo que pueda ver. Los logros significativos nunca han sido obtenidos al tomar pequeños riesgos en asuntos sin importancia. "Si está cazando conejos en el país de los tigres, debe estar atento a los tigres, pero cuando este cazando tigres, puede ignorar a los conejos" (Henry Stern). No se distraiga con los conejos. Fije su visión en cosas grandes. Si quiere una vida productiva, es mejor que tenga un sueño que sea grande. Tiene que ser algo que difícilmente alcanzará. Cuando establece metas lo suficientemente altas, es cuando tendrá la oportunidad de convertirse en un campeón algún día.

## Capítulo 19

# Continúe intentándolo

¿Quiere ser exitoso? ¿Está dispuesto a creer aun cuando no obtenga resultados? Eso es lo que separa a los ganadores de los perdedores. Los ganadores creen aun cuando no vean los resultados, y continúan su camino hacia delante. ¿Es más acertado juzgar su día por la cosecha o por las semillas que ha plantado?

Los perdedores continúan buscando que el milagro aparezca y les muestre que están en el camino correcto. Los ganadores toman un día a la vez, paso a paso. Entonces de repente la gente mirará lo que ha hecho y dirá, "Muchacho, si que tienes un negocio grande." Los ganadores mirarán y dirán, "aun no es tan grande."

Cuando se mantiene en la búsqueda, está construyendo sobre su palabra. Y mientras se mantenga persiguiendo su sueño, se enfrentará a resultados desagradables. Esa es la vida. Si quiere hablar acerca de negocios, matrimonio o criar hijos, o del trato con Dios, tendrá que enfrentarse a los mismos problemas. ¡Despiértese! Tiene que pasar muchas veces por situaciones que parece como si no hubiera sucedido nada. Pero, ¿Vale la pena para su esposo? ¿Vale la pena para usted? La mayoría de los que estamos casados no seríamos nada si no hubiéramos tenido a alguien especial al lado nuestro por quien hayamos querido ser especiales. ¿No es eso cierto?

No me importa como se vea, pero no voy a dejar de fijarme metas. Algunas personas le dirán que ya ha establecido esa meta diez veces. Entonces fíjese esa meta otras diez. Y si eso no es suficiente, entonces hágalo diez veces más. He alcanzado cada meta cuando la he establecido el número suficiente de veces. Solamente está compitiendo con su pasado. No está compitiendo con nadie más. La meta es lo que lo que lo dirige.

La Biblia dice, "Para todo hay una estación, un tiempo para cada propósito bajo el reino de los cielos." Cada idea y cada sueño atraviesa por periodos de estaciones. Hay una época de invierno. Es ahí cuando surgen las ideas, se establecen las bases, y generalmente... nada pasa. Después viene la primavera. Durante la época de primavera se plantan las semillas, se trabaja muy duro nutriendo el suelo donde las ha sembrado, y sólo se obtiene un pequeño crecimiento. El verano trae consigo mucho crecimiento, pero sólo una cosecha limitada. Después del verano viene el otoño. ¡Tiempo de cosechar! Es ahí cuando se ven los más grandiosos resultados. Pero tristemente la gente no llega hasta la "época de cosecha." Se rinden demasiado pronto. No ven resultados o son tan pequeños que renuncian antes de la cosecha. Tenga entonces confianza y tenga en cuenta de que aun cuando parezca que nada está sucediendo para usted, algo está pasando lo vea o no.

Cuando entienda que Dios es un Dios de estaciones, estará preparado para hacer lo correcto en el momento indicado. Lo inspirará para perseverar hasta el otoño. La palabra de Dios es certera cuando asegura, "No nos cansemos, pues, de hacer bien; porque a su tiempo segaremos, si no desmayamos" (Gálatas 6:9).

Si pela algo, debe hacerlo sin la fruta.

La gente dice, "¿Qué paso con este líder? ¿Qué paso con aquel líder? Dejaron de enfocarse, se enfocaron en las cosas equivocadas, en cosas temporales en vez de algo a largo plazo. Sólo se concentraron en la "sequía", no en las raíces que crecían debajo, o en la lluvia que enviaba Dios para hacer que sus semillas crecieran en forma increíble. Dios quiere que tenga una visión a largo plazo, esperanzas a largo plazo, un esfuerzo a largo plazo, y un compromiso a largo plazo. Esto no se logra de la noche a la mañana. Tiene que darse tiempo a sí mismo.

Leí el otro día que el éxito no es una puerta; es una escalera para dar un paso a la vez. Si tiene miedo de dar el siguiente paso, entonces ¿hacía donde se dirige? Está yendo hacia abajo porque no existe la posibilidad de quedarse en donde está.

Cada uno de nosotros necesita tener el hábito de mirar más adelante, hacia donde queremos llegar, sin importar como se vea hoy en día. Permanentemente estamos mirando a propósito el camino que queremos recorrer. ¿Sabe cuál es el resultado de hacer eso? Cada vez que hemos hecho eso, aun cuando las cosas hayan dado en forma muy lenta, trajo consigo otra explosión. Creo que mucho de eso está relacionado con la manera en lo hicimos. No nos detuvimos en aquello que estaba o no estaba pasando. No mantuvimos nuestra mirada en aquella parte que no deseábamos de nuestras vidas. Nos mantuvimos enfocados en donde queríamos llegar.

La gente orientada hacia el éxito cree lo suficiente en un ideal para aguantar hasta que lo logran. Es como sembrar un árbol. Cuando siembre un árbol, ¿Cuánto tiempo le da para que crezca? ¿Tres meses o tres años? ¿O acaso lo va a cortar?

Un líder siempre ve más allá de donde se encuentra y continúa avanzando. Un perdedor siempre ve a alguien que lo está frenando, y se detiene demasiado rápido. ¿Cuánto poder de aguante tiene? Se ha dicho que usted y yo debemos ser como estampillas de correo. La utilidad de una estampilla de correo está en su capacidad de mantenerse pegada a un sobre o paquete hasta que llega a su destino.

## Capítulo 20

# Vívalo, cómalo, duérmalo...

Earl Nightingale dijo, "Un hombre joven le pregunto alguna vez a un gran y famoso hombre de edad avanzada, '¿Cómo puedo hacerme a un nombre en el mundo y convertirme en alguien exitoso?' El gran y famosos hombre replicó: Sólo tiene que decidir sobre lo que quiere y luego quedarse con ello, nunca desviarse de su curso, no importa el tiempo que le tome, o lo difícil del camino, hasta que lo haya logrado." El éxito es cuestión de aferrarse a algo que otros han dejado ir.

Algunas de las bases reales de la vida son aprender a construir en grande su sueño; estirar su mente, sembrar las semillas del éxito en el subconsciente y forzarse a mejorar sin rendirse. Deténgase y piense. ¿Cuántos de ustedes han sobresalido en algo alguna vez durante sus vidas? Todos lo han hecho, ¿No es cierto? ¿En que se destacaron? ¿Cómo lo hicieron? ¿Me imagino que se lo comieron, lo vivieron y lo durmieron, ¿No es cierto? No dejaron que nada se interpusiera en su camino.

"La nariz del perro de raza Buldog esta metida hacia atrás, de manera que pueda respirar sin soltar su presa" (Winston Churchill). Mucha gente comienza entusiasmada su "buena batalla en fe," pero se olvidan agregar paciencia, persistencia y resistencia a su entusiasmo. La gente persistente comienza su éxito en donde muchos otros renuncian. El hecho es que la gente no fracasa; simplemente se rinden muy fácilmente.

Había dos hombres náufragos en una isla desierta. En el instante en que llegaron a la isla, uno de ellos comenzó a gritar, "¡Vamos a morir! ¡Vamos a morir!"

El segundo hombre estaba recostado a una palmera actuando de manera muy calmada. Esto hizo enloquecer al primer hombre.

'¿Acaso no entiende? ¡Vamos a morir!"

El segundo hombre replicó, "Usted no entiende, yo me gano cien mil dólares al mes."

El primer hombre lo miró con cara de asombro y le preguntó, "¿Qué diferencia hay con eso? ¡Estamos en una isla sin comida y sin agua! ¡Vamos a MORIR!"

El segundo hombre respondió, "Usted simplemente no entiende. Yo me gano cien mil dólares al mes y de eso entrego a la iglesia el diez por ciento. ¡Mi pastor me encontrará!

Cuando se es persistente, usted lo sabe y también los demás. Nunca se rinda en aquello que sabe que debe hacer. El fracaso esta esperando en el camino de menor persistencia. El "hombre de la hora" tardó muchos días y noches en llegar allá.

Considere al hombre que dijo, "Mi éxito de la noche a la mañana, se convirtió en la noche más larga de la vida." Los ganadores simplemente hacen lo que los perdedores ya no quieren hacer. El fracaso está esperando en el camino de menor persistencia.

Cuando me enfrenté a serios problemas de salud, me tuve que someter a una rigurosa dieta. Compré algunas cosas para tener un gimnasio en mi casa y empecé a trabajar. Realmente no sabía exactamente qué hacer, pero sabía que tenía que hacer algo. Más importante aun, tenía que seguir haciendo algo, si quería los resultados que sabía que necesitaba. El sólo hecho de comenzar no es suficiente. Cuando se tiene el compromiso de hacer algo en la vida, concéntrese en eso sin importar lo que pase.

Se ha dicho que un gran roble es solamente una pequeña nuez que se aferró a la tierra. "Porque esta leve tribulación momentánea produce en nosotros un cada vez más excelente y eterno peso de gloria" (2 Corintios 4:17). Demasiadas personas se aferran a las oportunidades pero las sueltan demasiado rápido.

Christopher Morley dijo, "Los grandes disparos son solamente pequeños disparos que continúan siendo disparados." Resistencia, paciencia, y compromiso son simplemente un estado en el que se disfruta la distancia entre las promesas de Dios y lo que este provee para su vida. "La resistencia es la paciencia concentrada" (Thomas Carlisle). Cuídese de la poder de la persistencia de un hombre. Hay energía en la persistencia. "El deseo cumplido regocija" (Proverbios 13:19). La persistencia puede ser amarga, pero su fruto es dulce.

Toma menos de la mitad del uno por ciento de la gente que está totalmente comprometida con la idea de cambiar la manera como piensa el mundo, para bien o para mal. Puede cambiar la historia de su negocio, su familia su vida, sus amigos, y el futuro de su país, pero sólo con una determinación apasionada.

"Resistencia" es un término militar que significa, "mantenerse con coraje bajo el fuego." Puede mantenerse en la pelea cuando se siente con ganas de renunciar, al involucrar más a Dios en esa área de su vida. Proverbios 16:3 dice, "Encomienda a Dios tus obras, y tus pensamientos serán afirmados." El famoso dicho es cierto, "No hay riqueza más grande que la del compromiso. No se la pueden robar. Sólo la puede perder por su propia voluntad."

Un hombre vino a Sócrates y le dijo, "Quiero estudiar bajo tu guía. Quiero aprender de ti." Él tomó al muchacho de la mano y lo llevó hasta el agua sumergiéndole la cabeza dentro de ella. El muchacho sacó la cabeza luchando por respirar, y nuevamente, Sócrates lo hundió con fuerza. De nuevo, el muchacho luchó por sacar la cabeza del agua. Sócrates dijo, "Cuando quieras aprender de mí, tal como querías salir a respirar, querías aire, vida, entonces serás mi discípulo." Tiene que quererlo lo suficiente. Tiene que querer su sueño así de fuerte, por su esposa por sus hijos, por su libertad, por su país, por su iglesia y por su auto imagen. La mayoría de la gente no quiere nada así de intensamente como para conseguirlo. Si lo pueden obtener a través de una tarjeta de crédito, entonces pueden obtenerlo. Terminan endeudados y luego quebrados. No entienden lo que es pagar el precio.

Un hombre se encuentra con un guru en la carretera. El hombre le pregunta al guru, "¿Por dónde llego al éxito?"

El sabio barbudo no le habla pero señala un lugar en la distancia.

El hombre, emocionado por la posibilidad de un éxito fácil y rápido, se apresura en la dirección que le han indicado. De repente, se escucha un muy fuerte ruido como alguien cayendo estruendosamente.

El hombre regresa arrastrándose, andrajoso y atontado, asumiendo que de pronto interpretó erróneamente el mensaje. De nuevo le hace la pregunta al guru que responde de la misma manera, en silencio, señalando en la misma dirección.

El hombre obedientemente camina dirigiéndose en la misma dirección por segunda vez . Esta vez el ruido es ensordecedor, y cuando el hombre regresa arrastrándose, está sangrando, abatido e irritado. "Le pregunté cuál era el camino hacia el éxito", le grita al guru. "Seguí en la dirección que usted me indicó y todo lo que conseguí fue esa aparatosa caída. ¡Deje de señalar y hable!"

Solo hasta entonces el guru habla y dice esto: "El éxito queda en esa dirección. Sólo un poco mas allá, después de la caída."

Todos nosotros hemos experimentado esa caída. Es aquello que hacemos después lo que hace toda la diferencia. Muchas veces es sólo esto lo que separa a los que logran grandes cosas de los que no logran nada. Sea lo que sea que quiera lograr en la vida requiere de persistencia. El campeón de automovilismo Rick Mears lo dice de la mejor manera, "Para terminar primero, primero debe terminar."

Es irritante para los demás cuando tenemos un propósito definido, porque la mayoría está corriendo por todos lados confundidos, sin saber qué hacer. Eso los irrita. El mundo le abre campo a un hombre con determinación y propósito.

La fe y la esperanza nos ayudan a ser más perseverantes. Es algo que nos damos unos a otros. Es algo que los amigos se dan mutuamente. Entre más los demos, más los recibiremos. La mejor parte de los negocios es que encontrará muchos amigos que piensan justamente como usted. Cuando se pruebe lo suficiente a sí mismo, esa relación estará allí, y todos los que sean alguien le podrán decir que tuvieron amigos especiales que los animaron a seguir adelante. Ellos dudaron, pero la mayoría de la gente lo hace. Tiene que sobrepasar la duda. Va a caerse; simplemente levántese de nuevo. Tiene que creer. Tiene que vivir en fe. Escuche otra cinta. Lea otro libro. Llénese de energía y de fe en sí mismo. Manténgase en movimiento hasta rebosar la copa. Entonces, necesitará de un nuevo sueño porque rebosó la copa.

Al ser persistente, cualquier cosa posible en que pueda pensar, cualquiera que desee conocer, lo podrá conocer. Se dará cuenta de que entre más exitosos sean, mejor entenderán por qué está haciendo lo que está haciendo. La determinación crea oportunidades y sus posibilidades de alcanzar sus sueños. Es su posibilidad de cambiar su vida.

Cada día me comprometo más y más. ¡No se permita el lujo de tener un pensamiento negativo! ¡No se permita pensar en nada más que no sea el éxito! "Voy a lograrlo, lo haré, y quiero hacerlo."

La persistencia es una decisión; no me cuente su historia de mala suerte. Es su decisión. El éxito es una decisión; esforzarse es simplemente parte de lo que tiene que hacer. No viva de sus heridas; no viva de sus cicatrices, viva en las estrellas. Continúe buscando lograr sus sueños.

Una de las cosas más difíciles de entender para la gente, es aquellos que viven en fe. Cuando se vive en verdadera fe, no se le puede sacudir porque ha escogido un sueño que es más grande que los problemas que toda la gente junta le ha dado. No vivimos en nuestros problemas; siempre buscamos las soluciones. Es hora de que meta su mano ahí, salga y haga que suceda.

No me cuente lo mal que está. Cuénteme lo bien que se va a poner. No me diga nada acerca de sus problemas. Dígame algo acerca de sus sueños. Los sueños son la solución a sus problemas. Todos tienen algo que superar, pero la gracia es superarlo. ¿Qué tan grande es sueño hoy en día? ¿Pondrá un compromiso a ese sueño? ¿Logrará que suceda?

Nuestro lema debería ser: "Actúe con la determinación de la maleza." Todos los grandes logros han requerido tiempo y tenacidad. Continúe perseverando, porque la última llave del llavero puede ser la que abra la puerta. Aguantar un segundo más que su competencia lo hará un ganador. Conviértase en alguien famosos por terminar tareas importantes y difíciles.

## Capítulo 21

# El éxito es formarse
# con base en hábitos

Los hombres y mujeres que han sido exitosos, también han creado hábitos, y después esos hábitos han creado a esos hombres y mujeres. Cualquiera que sea altamente exitoso es automáticamente una criatura de hábitos pre-decididos. Birdie y yo sabemos de dónde vinimos. Sabemos lo que hemos logrado, y lo más grande que hemos podido alcanzar no es un gran negocio. Es haber desarrollado hábitos de trabajo y entendido que si se trabaja lo suficientemente duro, suficientes cosas pasarán para que sean enseñadas a otros.

Escucho a demasiada gente decir cosas como, "Oh bueno, no me gusta hacer eso. Eso me avergüenza, o eso me incomoda." Únase a la multitud. Únase a la clase de los líderes. No piense que porque alguien es un líder, nunca ha estado incómodo, o que nunca han hecho cosas que no querían hacer. Eso es ridículo. Al principio de este negocio, todo lo que hicimos era incómodo porque no sabíamos lo que estábamos haciendo.

Realmente tiene que fijarse en sus hábitos. Sus hábitos lo hacen o lo destruyen. Cada uno de ustedes tiene el potencial de ser cualquier cosa que escojan pero tienen que hacer los hábitos, crear la actitud y ser el ejemplo para los demás. Alguien

me preguntó el otro día, "¿Le gusta ir al gimnasio?" "Lo adoro"
"¿Realmente le gusta?"

"Me tiene que gustar por lo que estoy pagando."

Escogí adorarlo, de otra manera me voy a morir. ¿Entiende eso? Verá, la gente dice que no se puede amar lo que se hace. Escogí amar lo que hago y ahora es un buen hábito para mí.

Solía querer garantizarle a todo el mundo el éxito. Si ellos no escuchan, no les puede garantizar nada. Solamente usted se puede garantizar a sí mismo. ¿Cómo puede pasar esto? Por sus hábitos diarios, mensuales y anuales. Nadie más puede garantizarle nada. Tiene que hacer el compromiso. Si quiere que su vida cambie, usted tiene que cambiar.

Recuerdo cuando mi padre me dijo que los plomeros nunca se muerden las uñas. Todo lo que tiene que hacer es pensar... lavabo obstruido, ¿Quién lo arregla? Pero sabe, es gracioso, nunca tuve ese hábito cuando niño. Cuando me metí al negocio y empecé a andar, ¿Adivine qué? Tenía una uña un poco quebrada, llegué a una luz roja, estaba metido en el tráfico, y de repente comencé a morderme la uña. Simplemente estaba tratando de emparejarla. Lo siguiente que descubrí es que me había comido la uña hasta el dedo.

Dejé que eso pasara en los primeros días en mi negocio. Estaba en una reunión una noche, cuando se me acercó un tipo y me dijo, "Usted habla como si tuviera mucha confianza, pero al mirar sus uñas se nota que no es así." Y yo dije, "Si está bien, eso es una pequeña cosa. ¿Se va a quedar sin hacer nada por eso? Recuerde el plan. Es su oportunidad. Estoy haciendo lo que quiero con ella. No se quede sin hacer nada simplemente porque yo me como las uñas." Pero camino a casa, pensé mucho en ello. Me dije, "Debo dejar de morderme las uñas; me está costando dinero." Entonces decidí que únicamente me iba a morder la uña del pulgar. En un corto periodo de tiempo, ya tenía nueve uñas largas, y parecía que una de ellas estaba quebrada. Después de haber desarrollado el hábito, no me costó ningún trabajo dejar de morderme las uñas de los pulgares. Usted tiene que aprender un patrón de éxito que funcione.

Le enseñamos a la gente que cuide sus palabras. Es uno de los más importantes hábitos que hay que adquirir porque será atrapado por las palabras que salgan de su boca. Le decimos a la gente que cuide lo que dice porque sea lo que sea que esté adentro de usted, es también su fuerza exterior. Cuando confiesa que ha fracasado, es porque lleva el fracaso por dentro. Cuando confiesa que ha tenido éxito, es porque lleva el éxito por dentro. Tiene que aprender el hábito de levantarse por la mañana con el hábito de confesar el éxito.

Sólo depende de usted decidir que va hacia algún lugar con su vida. Dios no lo hizo para que anduviera quebrado. Dios no lo hizo para que tuviera un empleo el resto de su vida. Dios no lo hizo para que tuviera sueños que no puede lograr. Cualquier cosa que la mente pueda pensar y concebir, se puede lograr, pero primero, tenemos que creer en ello. No importa qué tanto pueda creer en usted. Tiene que creer en sí mismo. Tiene que creer lo suficiente como para levantarse e ir a hacer lo que tiene que hacer. Decida desarrollar hábitos que lo fuercen a estar activo.

Tuvimos que cambiar algunos hábitos y hacer algunas cosas que nunca antes habíamos hecho. Es incómodo cuando se tienen que hacer cosas que nunca antes se han hecho. Lo hace estirase y eso es incómodo. Pero, las buenas noticias son que cuando Dios lo hace estirase, nunca más vuelve al estado original.

## Capítulo 22

# ¿Dice usted esto? "Antes yo era indeciso. Ahora no estoy tan seguro"

Las decisiones son aquello que transforma una idea en realidad. Su destino no es un asunto del azar. Mucha gente tiene en la mira los objetivos correctos para sus vidas, simplemente nunca aprietan el gatillo.

La indecisión paralizará el flujo de su fe. La fe exige una decisión antes de poder ser efectiva. Así como todas las áreas en su vida, su creencia y su éxito, son una decisión.

Cada logro, grande o pequeño, comienza con una decisión. No todo lo que se le presenta puede ser cambiado, pero nada puede ser cambiado hasta que no se le presente.

La Biblia dice que un hombre con doble mentalidad es inestable en todas sus formas. Conozco gente con mentalidad triple y cuádruple. No me puedo imaginar en qué clase de problemas estarán. No es la diferencia que existe entre las personas lo que es difícil. Es la indiferencia.

Entre más responsabilidades de otras personas asuma, más esperaran de usted, y menos harán por sí mismos. Entre más haga alguien por usted, más débil lo hará. No puede esperar crecer mientras deja que otros tomen las decisiones por usted.

La gente que exige neutralidad en cualquier situación, no es realmente neutral, porque están a favor de que las cosas no cambien. "Desconfié del hombre que encuentra todo bien, de aquel que encuentra todo mal y aun más de aquel que es indiferente a todo," dice Larry Bielat.

Hay una forma garantizada para no crecer, y esa es ser indeciso. Enfréntese a los pequeños problemas y oportunidades de la vida con decisión. La gente más infeliz que conocemos, es aquella que nunca puede tomar una decisión. Un hombre indeciso nunca podrá decir que pertenece a sí mismo. No se preocupe por no tomar una decisión; alguien más lo hará por usted. Una persona indecisa es como un hombre ciego, buscando en un cuarto oscuro, a un gato negro que no se encuentra allí.

No me importa si decide no alcanzar sus sueños; esa es su decisión. Lo que me molestaría es que culpara a otro por no haberlo hecho. Podemos culpar a otros todo lo que queramos, pero esa es una niñería, y usted es un adulto. Hay personas que pueden ayudarlo, pero en últimas es usted quien toma la decisión.

Un hombre con un solo reloj sabe que hora es; un hombre con dos relojes nunca estará seguro. Hasta que esté decisivamente comprometido, sentirá dudas y estará tentado a echarse para atrás, y luego seguirá la infectividad. Escuche lo que dice. Si se escucha diciendo, "Lo he decidido," estará en el camino correcto hacia una vida excitante y productiva. Tan pronto decida hacer algo con su vida, esta cambiará.

El éxito es una decisión, no un accidente. La Biblia nos dice en dónde estar en el mundo, pero no acerca de él, porque el mundo le dará todas las respuestas erradas. El éxito es una decisión, una que usted toma hoy.

Los que firmaron nuestra constitución nos dieron a cada uno de nosotros la libertad de escoger, trabajar, soñar, perseguir y buscar nuestro futuro. Escogimos nuestras vidas. ¿Qué está escogiendo para usted, sus hijos, y su futuro? Le contaré que el día que tuve mi ataque a la edad de cuarenta y seis años, pude haberme quedado incapacitado para siempre. Si hubiera tenido un trabajo, hubiera sido despedido. El lado derecho de mi cuerpo aun no funciona perfectamente. Todavía hay una cantidad de cosas que no puedo hacer, pero aun puedo construir mi negocio y perseguir mis sueños. Esto no me detiene. La gente nos ve tal y como piensan que somos. Pero más importante que eso es la manera como usted mismo se ve y piensa que es.

Tendrá que tratar con personas que le dirán en dónde no tuvo éxito. El éxito nunca es fácil, pero es más fácil que el fracaso, porque tendrá que vivir con ello el resto de su vida.. El éxito siempre viene después de una decisión.

Demasiada gente gasta demasiado tiempo preocupándose acerca de lo que piensan los demás, y no terminan en donde deberían estar. Si va a tener éxito, tiene que saber *hacia dónde se dirige.* Tiene que *decidirse* acerca de lo que quiere. No puede ser *neutral* en esto. Lo pondré de esta manera, "El color menos favorito deberá ser el *beige*".

Basados en las decisiones que tomamos, existen en realidad dos clases de personas: aquellos que están dispuestos a asumir la responsabilidad y hacer lo que sea necesario para hacer que algo pase, y aquellos que están dispuestos a tomar todo lo que puedan. Los que dan y los que reciben. Los que dan, siempre terminan en la cumbre porque Dios tiene una regla, y no se le puede contradecir a Dios. La regla de Dios es que entre más se dé más se recibirá. Entre más se tome de los demás , más se perderá. Lo más importante que tenemos que tener es la voluntad de soñar y no dejar que nadie nos robe el sueño. Cuando sus sueños se hayan ido, estará muerto. Esa es la vida, la esperanza, eso es todo.

Sea decisivo, aun cuando esto signifique que algunas veces esté equivocado. Una clave para su futuro es que todavía puede escoger, todavía puede decidir. Aquello con lo que se comprometa, lo cambiará de lo que es ahora, a lo que puede llegar a ser. La decisión determina el destino.

Capítulo 23

# El éxito es un sistema

Cualquiera que haya tenido cualquier clase de éxito, y lo mantenga, tiene un sistema. Lo más importante de ese sistema es aprenderlo. Para hacer que ese sistema se multiplique realmente, tiene que aprender un proceso muy simple.

Dale Carnegie dijo, "No tema dar lo mejor de sí mismo a lo que aparentemente son trabajos pequeños. Cada vez que culmine uno, lo hace en esa medida un poco más fuerte. Si hace los trabajos pequeños, los grandes tendrán la tendencia de hacerse por sí mismos." Su futuro viene hacia usted una hora a la vez. Thomas Huxley afirmó, " El peldaño de una escalera nunca se hizo para que estuviera uno encima de otro, sino para permitirle al hombre poner otro pie más alto."

En el libro de W. Clement Stone, *El Sistema de Éxito que Nunca Falla,* cada capítulo tiene una imagen de una puerta que dice, "Las pequeñas bisagras mueven las grandes puertas". No se trata de lo pequeño que sea. Es lo grande de la puerta que puede mover. Puede que los sistemas tengan pequeñas partes, pero ellos mueven las grandes ideas.

El éxito es un sistema de doce puntos:

1. Aprenda a hacer las cosas de los mejores. Ellos saben de lo que están hablando porque ya lo han ejecutado.

105

2. Aprenda a hacerlo lo mejor que pueda. No perfecto, sólo lo mejor que pueda.

3. Practique enfrente de alguien, en cualquier momento, como si su vida dependiera de que tiene que ganarles.

4. Aprenda cómo puede mejorar. Sólo la práctica lo puede hacer mejorar.

5. Copie a los mejores; tome de ellos aquello que le gusta. Copiar es robar, pero aprenderlo y usarlo es experiencia. Cuando adquiere experiencia, es suya porque ha puesto su personalidad en ella. Eso hace la diferencia.

6. Encuentre de cinco a diez cosas sin las cuales no pueda vivir. Eso le dará la energía y lo forzará a tener éxito. Tiene que tener una razón. El dinero no es una razón. Cuando dice, "Bueno, si estuviera ganando $100.000 dólares al año..." Bueno, si no se los está ganando, entonces no puede hacer relación a ello. Tiene que resolver qué puede hacer normalmente con $100.000 dólares al año. Haga el cálculo de ese estilo de vida y diga, "Estoy dispuesto a tener todas estas cosas. Me tomará X cantidad de dólares al año obtenerlas, de manera que voy a conseguirlos."

7. Vaya y toque al menos uno de esos sueños cada día. ¿Quiere un Cadillac? Vaya al almacén de Cadillacs todos los días. La mayoría de la gente le dirá, "No puedo, tengo empleo. Trabajo de 8:00 a.m. a 5:00 p.m. llego a casa, voy a una reunión, y regreso tan tarde en la noche que los almacenes ya están cerrados." Grandioso, es a esa hora cuando yo siempre voy. No hay tráfico y nadie lo está molestando. Voy de compras cuando todo está cerrado; no me cuesta nada. Voy una vez cuando esta abierto. Vaya y haga la prueba, es como si tuviera la fotografía de su novia, pero hay una diferencia entre besar la fotografía y besarla a ella. Tiene que aprender a trazar un límite en sus metas. Hasta que no haga esto, no obtendré aquello. Me privaré de esto hasta que haya mejorado. Sé que me lo merezco porque establecí mis metas, y las logré alcanzar. Olvídese de si tengo o no el dinero. Establecí mi

meta buscando eso específicamente. Establecí los límites en mi vida. No en el mundo. Vaya y toque su sueño con regularidad, cualquiera que sea. Tiene que tener cinco, diez o veinte metas. Agregue una más.

8. Cada vez que alguien lo rechaza, su plan, sus sueños, visualícese en una posición superior a ellos en el futuro.

9. Trate a aquellos que se ríen de usted con respeto y amor. ¿Por qué? Porque ya decidió que usted es mejor que ellos y se los va a probar. Tiene un cerebro superior. ¿Va a usar su cuerpo para demostrar que su cerebro es superior?

10. Sueñe por los demás, trabaje por los demás y ame a los demás. Voy a amarlos cuando nadie entiende por qué los amo. Trabajar por ellos sin el amor, el sueño y sin dar, no es suficiente. Tiene que poner todo junto.

11. Once. Voy a rezar por ellos. Sin excusas. Todo depende de Dios y de mí.

12. Doce. Voy a darle a Dios todo el crédito porque Él lo ha hecho todo.

Es un gran placer en la vida hacer algo que la gente le haya dicho que no puede hacer. Los ganadores aprenden a vivir con eso. Cuando la gente me dice que no puedo hacer algo, pienso, "¿Quién se murió y lo hizo Dios? ¿Cómo es que saben más de mí que yo mismo?" Cuando dejo que me diga eso, entonces estoy dejando que tome la decisión por mí. De cualquier manera, ganar o perder es nuestra decisión. El secreto de la felicidad no está en hacer lo que uno quiera, sino querer lo que se hace. Hay tanta gente que viene hacia nosotros y dice, "Eso no es para mí; no me veo haciendo eso." La verdad de todo es que no han decidido lo que quieren realmente, como para entender que esto es algo que les proporciona aquello que quieren. A lo largo del camino, tendrán que descubrir lo que están dispuestos a hacer y aprender a disfrutar hacerlo.

He aquí un sistema de éxito que funciona: Sepa que el éxito es una decisión. Después de que ha tomado la decisión, le seguirá una visión que tendrá que convertirse en hábito y después en compromiso antes de convertirse en una forma de vivir. Se convertirá en un esfuerzo constante. Cuando se esté esforzando, la gente dirá, "Bueno, seguramente no es para mí. Debo renunciar." Cuando se esfuerza es cuando adquiere el conocimiento. Cuando se esfuerza es cuando se vuelve fuerte. Después viene el éxito, y todo el mundo le cuenta a todo el mundo, incluyéndolo a usted, la buena suerte que ha tenido. Ellos no entienden la travesía. No entienden lo importante que es un sistema. Todo el mundo piensa que el éxito es supuestamente fácil.

## Capítulo 24

# Aquello que en primer lugar nos controla es nuestra visión

Cada uno de nosotros tiene una oportunidad potencial de tener éxito. Nos toma exactamente el mismo esfuerzo llevar una vida improductiva que una vida efectiva, y siempre cuesta más no hacer lo que es correcto que hacerlo. Aun, millones llevan vidas sin sentido en prisiones que ellos mismos han creado, simplemente porque no han decidido qué hacer con sus vidas.

"Muchas personas confunden las malas decisiones con el destino." (Kin Hubbard). "En donde no hay visión, la gente perece," dice el libro de Proverbios. No es la ausencia de cosas lo que lo hace infeliz, es la ausencia de visión.

Se puede predecir el futuro de una persona por lo que espera de su destino. El peso más grande que se lleva en la vida es no tener nada que cargar con uno. El impacto de cualquier persona está determinado por la causa por la que viven y el precio que están dispuestos a pagar.

Si hay algo que los Americanos necesitan ahora mismo, más que nunca, es soñar más, tener más visión. La visión controla su futuro. Las personas que no lo pueden ver, no lo pueden lograr. Pero una vez que comienza a verlo, empieza a querer más lo que está viendo. Pero necesita de un vehículo

109

para poder llegar a ello. La visión es ese vehículo. Si no se decide por algo, entonces se está decidiendo por nada.

Lo imposible se vuelve posible cuando asimila correctamente la imagen de lo que quiere. Todo el éxito en mi vida empezó a suceder cuando comencé a tener esa imagen correcta en mi mente.

¿Cómo fue que Birdie y yo llegamos a estar en donde estamos? Teníamos una visión de dónde queríamos estar. Leímos libros. Hicimos de esos libros nuestros mentores porque no teníamos a nadie más a quien referirnos, quien nos diera consejos, quien pudiera ayudarnos, y nadie que tuviera el éxito que queríamos. Entonces tuve que poner en marcha mi plan y depender del poder de nuestras oraciones. Dios es en últimas quien tiene el control.

Mucha gente ya no tiene esperanzas de que suceda lo mejor; simplemente esperan que no suceda lo peor. Demasiados han tenido la oportunidad golpeando a sus puertas, pero para cuando han quitado la cadena, abierto los dos cerrojos y desconectado la alarma, ¡esta se ha ido!

La gente generalmente tiene demasiadas opiniones y no muchas convicciones. Una persona que no va para ningún lado puede estar segura de alcanzar su destino. El peso más grande que se lleva en la vida es no tener nada que cargar con uno.

La visión es como una mapa del tesoro en donde se marca con X el lugar secreto. La visión le marca el camino hacia la victoria, de manera que todos se puedan mover en la misma dirección juntos. ¿Va a marcar su camino hacia la victoria? ¿Va a decidir hacia dónde se dirige?

Tenía que haber un primer Kennedy. Tenía que haber un primer Rockefeller, y tiene que haber un primer hombre rico con su nombre. Ese va a ser usted, o ¿Será alguno de las siguientes generaciones? ¿Va a cambiar su posición financiera por su familia? Lo puede hacer, con visión.

Su visión tiene que ser más grande que usted. Aprenda a sentirse cómodo con grandes sueños. Los mejores trabajos aun no han sido encontrados. El mejor trabajo aun no ha sido ejecutado. Si no asume más de lo que realmente puede hacer, nunca hará todo lo que puede. No escuche a aquellos que dicen, "Esa no es la manera de hacerlo." No escuche a aquellos que dicen, "Está tomando un riesgo muy grande." Desarrolle una capacidad infinita para ignorar a los que dicen que las cosas no se pueden hacer.

La audacia en la visión es la primera, segunda y tercera cosa más importante. Si no se atreve a nada, entonces no obtendrá nada. Lo que necesita es una idea. Sea lo suficientemente valiente como para vivir en forma creativa. "Como no cuesta un centavo soñar, estos nunca le faltaran cuando estire su imaginación" (Robert Schuller). Una sola idea, un pensamiento repentino, pueden valer millones de dólares. No mire las cosas por lo que son, sino por lo que pueden llegar a ser. La visión le agrega valor a todas las cosas.

**Capítulo 25**

# Los ganadores surgen de las posiciones de los perdedores

Se ha dicho que la mayoría de los súper héroes en los deportes han salidos de áreas muy pobres. ¿Qué prueba eso? Número uno, no es en donde usted está. No es de donde viene usted. No es la carrera en la que usted está. Esto prueba el poder del sueño.

La gente dice, "usted viene del lado equivocado." Bueno, ¿Cuál es el lado correcto, izquierdo o derecho? Me cansa y me enferma la gente que se aferra al pasado por tres, cuatro, y cinco generaciones cuando deberían estar aferrándose al futuro.

Provengo de lo que yo creería que es una familia grande. Fui el segundo de cinco hijos. Si estudia las estadísticas, el segundo hijo normalmente no llega a ningún lado. ¿Entonces, cómo explicar mi caso? No se puede. Se rompe el molde cuando se tiene un sueño.

No tenemos éxito basados en nuestras debilidades. Tenemos éxito con talento y "hambre." Si tenemos la suficiente "hambre" por algo, cambiamos lo que necesitamos cambiar y nos convertimos en aquello que necesitamos. No permitimos que el mundo haga prejuicios acerca de nosotros.

No restrinja su pensamiento basado en el lugar en donde está o en lo que es actualmente. Lo pondré de este modo,

"No viva basado en lo que es o en lo que medio tiene." No lo estoy animando a que se vuelva loco o a ignorar los límites, o a ser imprudente. Efectivamente debemos gastar de acuerdo con lo que tenemos, pero no quedarnos ahí. Hable con gente más inteligente que usted. Escuche a aquellos más espirituales que usted. Hágales preguntas a aquellos más exitosos que usted. Tiéndales una mano a aquellos menos afortunados que usted. No se quede en donde está.

Si el zapato le queda, no lo use. Si lo hace, entonces no estará dejando espacio para crecimiento. Webster sabía todo acerca de la inefectividad de "vivir basado en que medio tiene." Cuando mira "medio" en el diccionario, le dice que hace referencia a la palabra "promedio". Cuando decide vivir basado en lo que medio tiene, está decidiendo vivir una vida promedio.

Adoro cuando alguien como Mugsy Bogues lo logra. Es como si probara que los hechos no importan cuando el sueño es lo suficientemente grande. Siempre he admirado al tipo que supuestamente no ha debido ser como es. Aun así, ahí está y es un campeón. Nunca olvidaré la entrevista que el noticiero les hiciera a estos dos tipos, uno negro y uno blanco, como de 1.92 y 1.95 que habían sido desplazados del equipo por Mugsy. Me sentiría avergonzado si yo midiera 1.95 y fuera sacado de un equipo de basketball por un tipo de 1.65 de altura. ¿No sentiría usted lo mismo? Tengo el potencial. No es diferente de la historia de David y Goliat. David fue en busca de Goliat aun sabiendo que era un gigante, y todos temían por él, a pesar de que era simplemente un pastor. Pero la recompensa valía la pena, y el sueño también. He escuchado un par de veces en el último año, que David recogió cinco piedras. ¿Sabía eso? Recogió cinco piedras porque sabía que Goliat tenía cuatro hermanos. Estaba preparado para matar a los cinco. De nuevo, los hechos (1.65 de estatura) no cuentan. De hecho, entre más se supere, más gente lo respetará.

Me emociono cuando escucho acerca de lo que está bien con los Estados Unidos. Me emociono cuando escucho todo lo que vamos a hacer, los cambios que podemos hacer. Usted y yo somos los que vamos a cambiar este país, nuestro pueblo natal, nuestro sistema de educación y todo aquello que no nos gusta. Tenemos que cambiar todas estas cosas en vez de sentarnos a hablar mal de ello. ¿Acaso no sabe que todos aquellos que han salido de las "posiciones de perdedores" saben mejor que cualquier otro lo que debe ser cambiado?

Muchas personas tienen toda clase de potencial, pero tienen miedo. Sienten temor de lo que sus amigos puedan pensar. Es ese estúpido estatus. Terminan tan envueltos en eso que no se dan cuenta de que si tuvieran realmente buenos amigos, continuarían siéndolo sin importar lo que haga. Si no lo vuelven a tratar a causa de su sueño, entonces no eran realmente sus amigos.

Sabía que mi ataque no me dejaría incapacitado. El diablo tratará de robarle su sueño de cualquier forma posible. Debilitará sus relaciones con la gente, con sus compañeros, con diferentes personas, pero no puede permitirle robar sus sueños. Tiene que decir, "Estoy pegado a mi sueño. Tengo un propósito. No vas a convertirme en algo inservible."

Para salir de la posición de perdedor, comience con un sueño. Nuestra actitud es la que hace la diferencia en la vida. Absolutamente es la que influye en que tan alto puede llegar. Sólo depende de nosotros lo lejos que podemos llegar. No depende de nuestro jefe, o de nuestro padre o madre. Ellos nos guían en la medida en que pueden, pero depende de nosotros hacer los cambios necesarios en nuestra vida para lograrlo.

Para dejar el pasado atrás, sea diferente. No se acomode como la mayoría. Esto lo mantendrá en movimiento, mientras los demás se detendrán por cualquier cosa. Entre más camino recorra en su vida, mas retos se le presentarán. Somos especiales. Todos tenemos talentos especiales. Todos tenemos un potencial especial.

Los más exitosos son los que han superado más cosas. No podemos dejar que nuestros sueños se vayan por la cañería. No podemos hablar de los problemas; tenemos que solucionarlos. Si tiene un problema, entonces acuda a alguien que tenga la solución. Entonces así tendrá la respuesta, y no vivirá en el problema. Vivirá en la solución.

## Capítulo 26

# Los hechos no cuentan cuando se está tratando con un ganador

Recuerdo que cuando niño, comíamos al desayuno cereal "Wheaties", el desayuno de los campeones. En la parte de enfrente de la caja, estaba la fotografía de un campeón de nombre Bob Richards. Por muchos años vi su fotografía en estas cajas. Era el tipo que había ganado la medalla de oro en salto con garrocha muchas veces en los Juegos Olímpicos. Bob Richards siempre dijo que él era un pequeño hombre que se había metido en los Olímpicos. Me contó que había tratado de ingresar a través del equipo de basketball, pero que por su estatura de 1,74 centímetros no lo había logrado. Su entrenador le dijo que era demasiado pequeño y que podía olvidarse del atletismo. Pero él pensaba que si uno ha de ser campeón, tiene que tener el corazón de un campeón. Él dijo, "Aprendí que si iba a lograr que mi cuerpo pasara sobre esa vara, tenía que poner mi corazón en la garrocha, lanzar mi corazón sobre la vara primero y después mi cuerpo lo seguiría." Los hechos no cuentan cuando se está tratando con un ganador.

Creo que todos hemos sido creados iguales con el derecho de ser desiguales. Usted puede ser aquello que quiera sin importar el color, la raza o la religión. Depende de usted desa-

115

rrollar el poder de un sueño y salir a buscarlo. Pídale ayuda a alguien para poder ayudarse a sí mismo. Busque el consejo de alguien acerca de cómo avanzar por sus propios medios. Dios nos ha dado a todos un talento. Es nuestro trabajo desarrollar ese talento y nuestros sueños.

Aprenda a pensar en cosas imposibles. La persona con imaginación más allá de sus circunstancias actuales, nunca estará sola ni acabada. Usted fue creado para la creatividad. Al no dejarse detener por "los hechos," sus ojos podrán buscar la oportunidad, sus oídos estarán atentos a escuchar cuál es la dirección correcta, su mente amará el cambio y su corazón esperará que Dios le indique el camino. Su corazón tiene ojos que su mente desconoce. Exíjase ser creativo a diario.

Sus problemas realmente se multiplican cuando deja de soñar. Usted y yo tenemos la responsabilidad de alimentar, nutrir, y desarrollar una de las cosas mas preciadas que tenemos, nuestro sueño, para hacerlo crecer de manera que nosotros también lo hagamos. Puede ir a una estación de gasolina y los que allí se encuentren se reirán de su sueño; o puede estar con aquellos que han logrado algo, y ellos le hablarán de su próximo sueño. ¿En cuál de los dos grupos quiere estar, los de los soñadores o el de los "nunca pasará, nunca funcionará, están locos"? La mejor educación se obtiene al aprender de aquellos que lo han logrado primero que usted.

Tiene que aprender que como ganador, los hechos no pueden contar para usted. Cuando está en el proceso de lograr algo, tiene que tomar una decisión sin importar lo que la gente le diga. Tiene que buscar sus propios hechos. Puedo hacerlo a pesar de esto y a pesar de aquello, o a pesar de todas las reglas; los ganadores lo entienden. Ellos construyen sus propias escaleras que los llevan a sus propios sueños.

Nosotros mirábamos nuestra pasada vida, y mirábamos como queríamos vivir. Nos convertimos en los primeros en hacernos pasar por Dexter y Birdie porque comenzamos a ver lo que queríamos y empezamos a creer en ello. Empezamos a practicar nuevos hábitos, a decir nuevas palabras, y a soñar nuevos sueños.

Todo esto esta allá afuera para usted. Pero se requiere de fe, creencia y voluntad para cambiar sus paradigmas. Dios dice que si no cree en Él, entonces no puede ayudarlo. Entonces tiene que creer en Él, y que es quien recompensará a aquellos que crean en ÉL.

Un amigo nuestro es el especialista número uno en cáncer en Park Avenue, en la ciudad de Nueva York, está especializado en cáncer en el páncreas. Él dice que el sesenta por ciento de los pacientes que vienen a él, lo ven como su última esperanza. Tienen seis meses de vida cuando llegan, y él les dice cómo combatir el cáncer. Lo primero que hacen es regresar a casa y contarle a todos sus amigos. Sus amigos comienzan a decirles toda clase de cosas como que tienen que hacer tres a cuatro enemas con café diariamente. Tienen que hacer esto, tienen que comer aquello, y los amigos empiezan a ridiculizarlos. Los bañan con "los hechos" y muchas cosas más. Se adhieren a "los hechos" para crear una "verdad" aun peor. Que pasa, ellos no lo hacen. Ahora, piénselo. Deseo de muerte. Permiten que alguien más les arrebate la vida cuando ya les han enseñado a vivir. Entonces, ¿qué diferencia hay en que muchos o pocos abandonen o renuncien? Esa es su decisión. Esa es su libertad. Pero la gente con fuerte voluntad toma una decisión y dice, "Cualquiera que sea el reto, no me rendiré por eso."

No ser una persona de imaginación puede ser la causa de que su vida sea menos de lo que estaba destinada a ser. El sueño es una de las cosas más emocionantes que hay. Tiene que tomar la decisión de hacer un compromiso, un esfuerzo concentrado en que va a tener éxito sin importarle lo que las "evidencias" le indiquen.

## Capítulo 27

# Si se rinde pierde. Es así de simple.

Le doy gracias a Dios de que mi padre era un ganador. Él trabajó duro. Nunca se rindió. Una de las mejores bendiciones que puede tener es estar alrededor de ganadores, y dejar que sus hijos vean que usted es uno, sólo por ver las cosas que suceden a lo largo del camino.

Existe una amenaza que es común en las vidas de personas excepcionales. Son atacados, derribados y difamados, y por años no llegan a ninguna parte. Pero cada vez que son derribados, se ponen de pie. No se puede destruir a esta gente.

"El mundo siempre le dará la oportunidad de renunciar, pero sólo el mundo considerará el renunciar como una oportunidad" (Clint Brown).

Cuando llegué al final de su cuerda, debe estar agradecido, ¡Dios esta ahí! El problema con mucha gente es que terminan más rápido de lo que comenzaron. La tragedia de la vida es lo que muere dentro de un hombre mientras este continúa con vida. Haga de esto su lema: No se muera hasta que este muerto. "Lo único peor que un hombre que renuncia, es un hombre que teme empezar" (Richard Back). He aquí una prueba para saber si su misión en la tierra ha concluido o no: si todavía está vivo, su misión no ha terminado.

La única vida que tenemos es la que nos resta por vivir. Depende de usted hacer que sea de mejor calidad de lo que hasta ahora ha sido. No puede vivir basado en lo que pudo haber sido. Tiene que vivir basado en lo que será. El futuro es su decisión.

Un hombre perezoso siempre será juzgado por lo que no hace. Entre más diligentemente trabaje, será más difícil renunciar. La persistencia es un hábito, y también lo es renunciar. La alternativa de rendirse o seguir adelante es un momento definitivo en su vida.

Mucha gente que fracasó no se dio cuenta qué tan cerca estaban de tener éxito cuando lo hicieron. "Cuando se mete en un lugar estrecho y todo se vuelve en contra suya, hasta que parece que no resistirá ni un minuto más, no se rinda, pues para entonces será justamente el momento y el lugar en que las cosas empiecen a cambiar" (Harriet Beecher Stowe). Una cosa muy importante que tiene que darse cuenta es que sus amigos verdaderos lo acogerán y lo amarán cuando lo intente de nuevo.

Usted sabe, la gente le preguntará mientras está construyendo su sueño ¿cuál es la tasa de deserción? Le voy a decir algo,. La tasa de deserción no significa absolutamente nada. Si los sacerdotes, los rabinos y ministros estuvieran preocupados acerca de la tasa de deserción, probablemente nunca casarían a nadie. Las probabilidades no cuentan.

Muchas personas son desertores profesionales. Hay lugares en donde se puede comprar equipo usado para un gimnasio. Casi cada poblado de cualquier tamaño tiene un almacén al que puede ir. La gente compra ese equipo y no lo usa. A eso se le llama buenas intenciones. Si quiere el éxito, tiene que decidir ser un campeón en su vida y en sus sueños.

Podemos convertirnos en alguien en quien nuestros hijos puedan creer. ¿Vamos a poner todo de nuestra parte para mostrarles de qué se trata ganar? ¿O les vamos a dar excusas? Tiene que seguir haciéndolo. ¿Sabe cuál es la mejor recompensa que tal vez obtendrá por ser padre? Que sus hijos hayan visto que nunca se rindió.

Antes le preguntaba a Birdie, ¿"Cómo es que alguien deja de amar? El amor es un compromiso. El amor es una decisión.

El amor no se basa en si el tipo la trató bien o no hoy. Eso es falta de respeto. Puede que no respete a la persona, pero si se compromete con ella, la amará o no lo hará. Si no la ama, es porque se estará echando para atrás en su compromiso. A pesar de lo que pase, Dios me ama, punto. No siempre le agrada todo lo que hago, pero me ama. ¿No le agrada que El no renuncie a usted? Entonces no renuncie a Él.

El regalo de Dios es lo que nos da ahora mismo. En lo que nos convertimos es nuestro regalo a Él. Debemos estar en el camino de la superación y el mejoramiento todos los días porque apreciamos el regalo de la vida. Somos ejemplo para los demás en lo que se pueden convertir. Eso les dará esperanza. Pero nuestras historias de fracaso hacen que se vuelvan negativos. No necesitan escucharlas. No necesitamos contárselas. Necesitamos contar únicamente acerca de nuestras victorias. Necesitamos contarles cómo fue que superamos nuestros inconvenientes, y así, ellos también podrán superar los suyos.

Capítulo 28

# Tiene que mantenerse mentalmente quebrado en todos los aspectos

Uno de los más importantes hábitos de éxito es aprender a hacer que el sueño crezca en la misma medida en que uno lo hace. Recuerdo que en la etapa inicial de nuestro negocio, tenía ciertos sueños y metas, y fui en su búsqueda. Cuando los alcance, no sabía hacia dónde dirigirme porque no sabía cómo crecer. Desde entonces, aprendí cómo desarrollar mis sueños y aprendí también como mantenerme mentalmente quebrado. Encontrará que, en el mundo, cada persona súper rica tiene que aprender a mantenerse mentalmente quebrada. Mucha gente simplemente está tratando de buscar seguridad, y eso, es la muerte. Cuando encuentra seguridad, encontrará su pequeño hueco, se sentará allí y se esconderá. Tiene que dejar espacio en su mente par crecer, para ser mejor.

Entre más exitoso se es, más grande es la tentación de quedarse allí. Pero realmente, el éxito crea más oportunidades. Para verlas, debemos tener hambre en nuestras mentes. He visto personas que han alcanzado altos niveles en la vida desde donde han podido dispararse en el futuro, pero fue un punto de muerte para ellos.

Su más valioso activo es la mina de oro que tiene entre sus orejas. Pero una mina de oro sólo es valiosa cuando se explota.

121

Tiene que trabajar en aquello a lo que tiene derecho. Usted podrá tener tierras en lo alto de las montañas, y nadie lo sabe excepto usted, y aun así vive como pobre y muere como tal.

Tiene que pensar en grande. Nosotros mismos establecemos nuestras necesidades. Establecemos nuestro propio nivel de engría y nuestro propio nivel de sueños. Si no lo podemos soñar, no lo podemos tener.

Tiene que mantenerse a sí mismo incómodo. Tan pronto como la gente se siente cómoda en la vida, empiezan a bajar el ritmo. Empiezan a tomarse algunas noches libres. Empiezan a relajarse más, y por lo tanto comienzan a ejecutar menos. Tiene que mantener la llama ardiendo.

Cuando quiere algo con la suficiente fuerza, entonces cambiará, y no seguirá adelante hasta que no lo haga. Cuando tuve mi ataque tenía malos hábitos alimenticios. Recuerdo haber confesado mi estupidez. "Si no puedo tener lo que quiero para comer, entonces no vale la pena vivir la vida." Tuve que llegar a un punto en la vida en donde decidí, "cambiar ese patrón". Me puse a pensar en este feo asunto una noche. Si no comía apropiadamente, me moriría muy joven. Después de que Birdie me enterrara , estaría muy sola, y se enamoraría de algún idiota. Después de todo, ella no tendría las necesidades que tenía conmigo. De manera que el tipo que probablemente ella escogería sería totalmente opuesto a mí. No sería un tacaño. Estaría dispuesto a gastar mi dinero. Estaría dispuesto a entretenerla. No pagaría las disciplinas que yo pagué. Trataría de llegar a ella por otro lado. Le encantaría conducir mis autos y estar en cama con mi mujer. Cuando mira el peor lado de las cosas, entonces cambiará. Podemos decirle cómo, pero usted tendrá que tomar la decisión, y tendrá que entender la diferencia entre oro de verdad y una imitación.

Hace algunos años alguien le preguntó a Henry Ford, "Henry, ¿No tienes ya suficiente dinero?"

Él dijo, "No, solamente necesito un poco más."

Esa es la manera como usted y yo tenemos que vivir nuestras vidas. Necesitamos solamente un poco más para mañana y un poco más para hoy.

Saben, hay un gran hombre de nombre John Ruskin quien escribió un dicho, "Si descanso me canso." Solía colgar eso en la pared cuando tenía veinticinco años. Lo colgaba para que me recordara que no debía descansar porque quería tener la determinación de lograr concluir algo.

Alguien dice, "Si, pero ¿Cómo manejas al tipo que es más exitoso que tu? Bueno, nueve de cada diez veces lo encontrará diciendo, "Tengo todo lo que necesito." Número uno, eso es una mentira. Si no lo es, entonces está enfermo. ¿Si tuviera todo lo que necesita, entonces ¿por qué es que ira a trabajar mañana? Eso es como el mismo tipo que le miente y le dice, "El dinero no lo es todo para mí." De acuerdo, denme todo lo que tengan.

Alimente su mente con la oportunidad que se le presenta, no con simplemente lo que ya ha logrado. Las mentes hambrientas pueden crecer.

Cuando mantenemos a nuestras mentes "vacías" de oportunidades, no dejamos que la satisfacción se convierta en un impedimento para nuestro futuro crecimiento. Estar mentalmente quebrado crea un espacio que puede ser llenado por las nuevas ideas y sueños. Al estar "quebrado" se puede convertir en rico.

**Capítulo 29**

# Hogar, dulce hogar

Una de las más grandes áreas que afectan nuestra búsqueda de sueños es nuestro hogar. Su esposa o esposo y sus hijos pueden ser un enorme beneficio o una increíble carga. Le doy gracias a Dios por Birdie y mis hijos. Nunca lo hubiera logrado sin ellos, y no podría seguir sin tenerlos.

Tengo a una muchachita que me tiene loco y a la cual he tratado de conquistar por cuarenta y cuatro años. ¿Sabe? Sigo intentando conquistarla. Entiendo esas canciones de amor, entiendo que uno nunca se rinda, y así mismo, nunca debe rendirse ante sus metas. Espero que las mujeres entiendan eso de nosotros los hombres. Nunca nos convertiremos en hombres hasta no tener una mujer por quién hacerlo. A causa del rechazo, una de las cosas más difíciles de aprender para los hombres, es hacerles cumplidos a las mujeres. Ustedes las mujeres, ¿saben qué?, Cuando su hombre les haga un cumplido, no discutan con él porque, si está enamorado, serán para él la mujer más hermosa del mundo. No le digan todos sus puntos malos. El no las ve de esa manera. Ustedes son la mejor mujer del mundo para él, y eso es muy, muy importante.

Siempre me río cuando los tipos tienen problemas con sus esposas, o las esposas tienen problemas con sus maridos. Es entonces cuando mirarán hacia un nuevo territorio por nuevas oportunidades. Siempre he creído que si no puede manejar lo que tiene, entonces ¿qué lo hace pensar que puede manejar otro reto? Tome lo que tiene y conviértase en un experto.

Muchachos, les voy a decir algo. Podemos ser tan machos como queramos, pero si no aprende a amar a su esposa, entonces nunca tendrá una razón para que sus hijas lo amen. Si no puede mirar a su esposa y decirle, "oye cariño, eres preciosa," ¿Cómo podrá decírselo a su hija entonces? ¿Cómo sabrá ella cómo escoger un hombre? Para aquellos de ustedes que piensan que su esposa no es aquello que debiera ser, es en parte por su culpa, porque no se ha tomado el tiempo de aconsejarla. Cualquier área en la que yo creyera que Birdie estaba fallando, se lo decía y la aconsejaba. A ustedes las muchachas también quiero decirles algo. El trabajo de un hombre es aconsejar a su esposa. El trabajo de una mujer no es aconsejar a su esposo. Si ella puede darle alguna sugerencia, perfecto.

¿Cómo quiere que sean sus hijos? ¿Quiere que sean mejores? La mayoría de nosotros queremos que nuestros hijos sean mejores que nosotros. Entonces tendrá que darles un mejor comienzo que el que usted tuvo. Ese comienzo no es darles algo a cambio de nada. Eso les dará un peor comienzo. Lo primero que los hijos tienen que entender, es lo que significa una meta, cómo establecerlas, y cómo alcanzarlas. Si la meta del muchacho es tener un auto, y usted sale y se lo compra, entonces le habrá quitado su meta. Si no trabajó por él, no lo va a apreciar. Esto es un asunto de liderazgo. Esto es acerca de que usted gane y sea la cabeza de su familia, un ejemplo para sus hijos. No podemos dejar que cualquiera otro sea el héroe de nuestros hijos, porque pueden escoger al héroe equivocado.

Nuestro deber como padres es ser el héroe y el ejemplo, punto. Estaremos mas a gusto con nosotros mismos si es así.

La vida es divertida si no nos complicamos mucho con ella. Diviértase con su esposa. ¿Sabe como mantener a su esposa feliz? Hágala reír. Salga con ella. No lo haga parecer como algo que tiene que hacer. Entre más se entusiasme con ello, más logrará.

Mi padre me dijo justo la noche antes de casarme, "Dexter, si esto no funciona, no podrás regresar a casa. Birdie será bienvenida." Era su manera amable de decirme que yo había aceptado esa responsabilidad y que no quería escuchar una sola palabra acerca de renunciar o rendirme.

A propósito, periódicamente me llegará alguien quejándose acerca de sus padres. No acepto quejas de los padres.

Cuando mi mujer está de mi lado, simplemente aumento las posibilidades de tener éxito en un ochenta por ciento. Ustedes las mujeres no entienden todo el control que tienen sobre nosotros los hombres. Podemos jugar a ser los que soportamos y patrocinamos todo, pero ustedes son las que nos pueden hacer llorar y las que nos pueden herir de verdad. Queremos ser sus héroes. Queremos que nos admiren. Muchachas, simplemente practiquen esto las próximas dos semanas. Díganle a su marido que él es algo grande. Díganle que es apuesto. Díganle que tiene un cuerpo atractivo. Díganle que es un sueño para ustedes. Muchachas, déjenme decirles, cuiden a su hombre y él matará por ustedes.

De manera que ¿a quién pueden hacer sentir el más grandioso o la más grandiosa? A su pareja. ¿Quién lo puede hacer sentir lo peor? Su pareja. ¿Quién lo puede confundir más que nadie? Su pareja. Entonces piense antes de hablar.

Me tomó mucho tiempo darme cuenta de no podía entrenar a Birdie para que fuera como yo porque Dios no le dio la tarea de ser como yo. Dios le dio la tarea de ser lo opuesto.

La manera como se construye confianza en otras personas es a través de los cumplidos. Edifíquense uno al otro. Cuando Birdie y yo nos sentamos a hablar con otras personas, saben que estamos enamorados. No necesitamos decírselo. Muchas personas no tienen un buen matrimonio. Desean un buen matrimonio. Quieren estar cerca de alguien que tenga éxito. Sea el ejemplo. Si va a tener una relación en su vida, una que valga la pena, encuentre lo mejor en los demás.

¿Sabe cómo hacer para que sus hijos asuman responsabilidades? Cada vez que los vea haciendo algo bueno diga, "Hijo, estoy orgulloso de ti por lo que has hecho." Todos los padres están tratando de que sus hijos asuman responsabilidades. "Mi hijo es un estudiante que saca A en el colegio H. J. Highway." Están anunciándole a todo el mundo que él es un estudiante ejemplar. Él es un muchacho ejemplar, ¿Pero qué es lo que está aprendiendo? Si son cosas malas, no estará asumiendo ninguna responsabilidad. No es lo que el maestro les otorgue como calificación; es cómo papá y mamá le dan amor.

Las más grandes recompensas que obtendrán sus hijos es ver a mamá y papá mejorando y aprendiendo a hacer cosas poco comunes, porque eran comunes en sus hogares.

Dios le ha dado una mitad, y usted añade la otra mitad. Su trabajo en esta vida es hacer que esa otra mitad se convierta en un equipo ganador. Este es mi secreto. Cuando se vaya a casar, escoja una pareja que piense en cosas grandiosas y que lo ame de verdad. Eduque a sus hijos correctamente. Sea un gran padre. Conviértanse en un gran equipo y avancen juntos. Su futuro es ilimitado.

## Capítulo 30

# Alguien quiere ayudarlo

Si quiere el éxito, entonces tendrá que conseguirse un mentor. Estaba hablando con un tipo de nombre Gary el otro día en el gimnasio. Gary es un hombre de cincuenta y un años de edad, y ha estado asistiendo al gimnasio por veinte años. Ahora todos somos físico culturistas, primero que todo. No importa si es usted gordo, o es delgado, o es musculoso, el punto es que todos tenemos cuerpos. Todo es cuestión de cómo quiere que se vea. Si lo quiere formar, tiene que encontrar a alguien que le pueda enseñar cómo formar su cuerpo. Mi entrenador me dice, "Vaya y observe al entrenador. Si no se ve como lo que usted quiere llegar a ser, entonces no lo contrate."

Entienda quién es su mentor. ¿A quién se quiere meter en su cabeza? No hay excusas. Los ganadores lo logran a pesar de lo que sea. Esto es algo que todos tienen que aprender para ser el protegido.

Escoja a sus mentores y escójalos bien. Mire a aquellos que han obtenido el éxito a largo plazo. Existe una gran diferencia entre el éxito a largo plazo y algo que es un desorden. Tiene que tener metas, y necesita a alguien que le ayude a estirar esas metas. Mike Murdock dice, "Hay dos formas de recibir sabiduría; errores y mentores.

Voy al gimnasio cuando estoy en mi casa de Stuart, Florida. Tengo un entrenador de nombre David quien ha ganado el concurso de Mister Florida cuatro veces. Tiene cuarenta y nueve años de edad. He mostrado su tarjeta de negocios por ahí, y muchas mujeres dicen, "¿No querrás verte así, cierto?" Él es sólo músculos. Es grande 1.95 de estatura y pesa cerca de cien kilos. Como una roca. Comparado con él, era nada aun cuando pesaba cerca de 110 kilos. Quisiera tener la mitad de su cuerpo. Decidí hace cerca de ocho años que tenía que rebajar 40 kilos. Lo hice en seis meses. Comencé un programa de entrenamiento, y trabajé en él por cerca de cuatro años, adquiriendo equipo diferente, tratando de entender cómo había que hacer ejercicio, logrando medianamente verme mejor. Después fui y contraté a David. He estado trabajando con él por cuatro años. Después de todo eso, no terminé lleno de músculos como él, ¿Qué pasó? ¿Qué estuvo mal? La primera cosa, tuve que reversar cincuenta y cinco años de estupidez. Algunas personas, se meten en el concurso y doce semanas más tarde pasaron de ser personas gordas a ser personas grandes y musculosas, y tuvieron algo más con qué trabajar. Cuando voy al gimnasio, le pago a mi entrenador sesenta dólares por hora para que me haga hacer lo que no quiero hacer. Hago todo lo que me indica. Eso es lo que tiene que hacer. Tiene que encontrar un mentor en el cual pueda confiar. Tiene que estar seguro de que él sabe lo que hace. Siga las instrucciones y haga preguntas.

Si lo que necesita es saber, encuentre a alguien que sepa. Cuando tengo la oportunidad de conocer a alguien que tiene lo que quiero, voy y les pregunto cómo lo obtuvieron. No espero un milagro de la noche a la mañana.

Necesitamos personas que nos hagan estirar, y no que nos hagan caer. Personas que nos harán lograr más porque no creemos que lo podemos hacer. Tenemos que hacerlo. Rodéese de personas que logran cosas, de gente que crea y alcance metas. Si quiere ganar, es mejor que aprenda cómo encontrar un mentor que le pueda enseñar a ganar.

Detrás de un hombre capaz está siempre otro hombre capaz. Trabaje junto a otros. Acuérdese de la banana, siempre que deja el racimo termina pelada y comida. Nunca podrá experimentar un éxito duradero sin las relaciones con la gente. Ninguna persona sola, podrá igualar jamás el esfuerzo cooperativo del equipo adecuado.

Tener al mentor adecuado podrá hacer que personas influyentes lo escuchen. No le puedo decir cuántas veces he visto pasar esto. Esta simple conexión ha tenido un gran impacto en mucha gente. Muchas veces los mentores son la diferencia entre la pobreza y la prosperidad. Creo que Dios tiene conexiones divinas para todos nosotros.

No existe tal cosa como el "hombre que se ha hecho a sí mismo." Estamos hechos de miles de otros. El hombre que trabaja por sí mismo y para sí mismo es probable que se corrompa por la compañía que mantiene. Todos los que alguna vez hayan hecho un acto amable por nosotros, o nos hayan dado palabras de ánimo, han sido parte de la formación de nuestro carácter y nuestros pensamientos, así como de nuestro éxito. Dice George Matthew Adams, "No solamente uso todo el cerebro que tengo, sino también todos los que me puedan prestar."

Aprenda de los mejores y páselo a los demás. Tiene que enseñarle a los demás cómo convertirse también en mentores. Entre más arriba llegue en la vida, más dependiente de otras personas se volverá. Una persona presumida nunca llega a ningún lado porque piensa que ya está allá. Todo gran hombre siempre está siendo ayudado por alguien más.

Uno es inteligente cuando se da cuenta de lo estúpido que es. Se es verdaderamente inteligente cuando se sabe cuáles son las debilidades y las fortalezas. Se es realmente estúpido cuando no sabe cuáles son las propias debilidades. Todos necesitamos ayuda.

Cuando Dios está listo para bendecirlo, envía a alguien a su vida. Dios bendice a la gente a través de la gente. Con la gente con la cual comparte una tarde, con otros con los cuales invierte. Sabio es el hombre o la mujer que fortalece su vida con las asociaciones y los mentores correctos.

## Capítulo 31

# El éxito, el verdadero éxito, es una relación de constante crecimiento con el Señor

Usted no está sólo en esta búsqueda en la vida. El señor estará con usted, si se lo pide. Si tiene un sueño y una pasión por ese sueño, entonces podrá ser cualquier cosa que usted y Dios puedan diseñar juntos. Creo que podemos seguir el consejo de Mary Lyon: "Confíe en Dios y haga algo."

La verdad más profunda es que "Jesús me ama." La más profunda revelación es, "Esto lo sé." No ponga un signo de interrogación en donde Dios ha puesto un punto. ¿Por qué es que muchos miembros de iglesias quienes rezan "El Padre Nuestro" los Domingos, van por ahí el resto de la semana como huérfanos?

La vida de muchas personas ha sido separada de Dios muchas veces y en todo lo que pueden pensar es, "Qué vida tan miserable tengo. No logro tener un minuto de descanso." Han dejado de dar gracias a Dios por los milagros que ha creado. No los aprecian. Si no puede contar con sus bendiciones cada día, entonces está por el camino equivocado.

"Si un hombre está con su pie derecho en una estufa y su pie izquierdo en el congelador, algún estadístico dirá, que en

promedio, está en una posición cómoda." (Oral Hygiene).
Nada puede estar más alejado de la realidad. Dios no quiere
que vivamos nuestras vidas con un pie en el cielo y otro en el
mundo. Él nos quiere a todos nosotros.

D.L. Moody dijo: "No toma mucho tiempo saber en dónde
se encuentra el tesoro de un hombre. En quince minutos de
conversación con la mayoría de hombres, se puede saber si
sus tesoros están en el cielo o en la tierra." Así como un
hombre joven, Billy Graham, dijo, "Dios, déjame hacer algo,
cualquier cosa, por ti." Dese cuenta del resultado de esa simple pero poderosa oración.

Cuando Dios es el número uno, todo lo demás se añade.

Tommy Barnett reflexionó de la siguiente manera, "Entre
más profundo busco, más profundo él busca." Para incre-
mentar valor, debe conocer a Dios. Órele al Señor, "Quiero
estar en tu voluntad, no en tu camino."

Oswald Chambers nos advierte: "Adquiera el hábito de
hablar con Dios acerca de todo. A no ser que en el primer
momento del día aprenda a abrirle la puerta a Dios, trabajará
en el nivel equivocado el resto del día; pero deje la puerta bien
abierta y recele al Señor en secreto, y así todas las cosas
tendrán el sello de su presencia". Deténgase todos los días
para apreciar la presencia de Dios.

Dios les da más a aquellos que dan más. No puede renunciar a Dios, en lo que se refiere a dinero, amor, visión o fe. El
éxito es una prueba a largo plazo de la fe extendida.

El hombre que pone a Dios primero se encontrará con el
justo al final. "Reconócelo en todos tus caminos y Él endere-
zará tus veredas" (Proverbios 3:6)

El hecho es que cualquiera que no crea en milagros no es
realista. Mire a su alrededor, nada es más real que los milagros. Cuando deja a Dios por fuera, se encuentra a sí mismo
sin soporte. Nada grandioso ha sido logrado excepto por aquellos que se atreven a creer que Dios dentro de ellos fue superior a las circunstancias.

¿Cómo profundizo mi fe? Orando, pero esa no es la única
manera. Mucha gente sólo ora, y es por eso que no reciben
nada. Dios está esperando que se levanten y hagan algo des-

pués de orar, y ellos no lo hacen.

He aquí otra manera de profundizar su fe. Ha de ser una cosa diaria. Tiene que estar buscando más sabiduría y más fe todos los días. No es solamente fe lo que necesita. Mucha gente viene a mí diciendo, "¿Cómo es que tiene tanta sabiduría? Porque yo continúo buscándola, y siempre la encuentro.

Si el predicador no lo está haciendo apropiadamente, sálgase de allí. No debe estar ahí buscando un sitio agradable y cálido. No está ahí para satisfacer a otros hombres o a sus vecinos. Está ahí por usted mismo. Si no está siendo alimentado, y no está creciendo con la palabra de Dios, entonces sálgase de allí.

Ken Blanchard dijo que la mejor sociedad que en realidad se puede hacer en un negocio, es con Dios. Cuando se invita a Dios a ser socio suyo se están haciendo tres cosas. Invita a Dios quien en realidad concibió el plan. Invita a Cristo quien en realidad moldeo el plan. Invita al Espíritu Santo como director de operaciones diarias. De acuerdo con Ken Blanchard, esto es lo ideal. No hay mejor sociedad que la que puede hacer con Dios. Cuando Dios es parte de su vida como el Jefe de Operaciones, entonces realmente se convertirá en amo de su propio destino.

Constantemente hemos tenido gente sacando cosas, gente jugando cosas, haciendo jugadas de gente poderosa. Póngale el nombre; la gente hace eso. Esa es la vida. En últimas, tiene que saber que Dios tiene el control. Si Dios es todo lo que tiene, entonces es todo lo que necesita.

Lo que Dios quiere es vernos exitosos. Depende de usted y de mí. Por usted debo preguntar, ¿Qué pasara? Construí mi negocio con la actitud de que todo cuenta para mí, y oro como si todo depende de Él, y trabajo como si todo el mundo fuera a renunciar.

Tengo un mejor amigo en mi vida. Esta persona y su hijo son los más cercanos amigos que jamás haya tenido. No importa que haya hecho, siempre me han amado, siempre me han perdonado, y siempre han visto lo mejor en mi. Uno de ellos es la persona más materialista en todo el mundo. Es materialista porque todo le pertenece. Él creó todo. Él es mi mentor y mi líder. Su nombre es Dios.

Dios nunca hizo una promesa que fuera demasiado bueno para ser cierto" (D.L. Moody). Una de las cosas más grandiosas acerca de hacer sociedad con Dios se encuentra en Lucas 18:27: "Él les dijo: lo que es imposible para los hombres, es posible para Dios." Cuando se una con Él en su plan, las cosas que antes eran imposibles se convertirán en cosas posibles.